# ENSORCELÉE

Livre six

sorcière

# ENSORCELÉE

*Cate Tiernan*

Traduit de l'anglais par
Roxanne Berthold

A·D·A
J·E·U·N·E·S·S·E

Éditeur : François Doucet
Traduction : Roxanne Berthold
Révision linguistique : Isabelle Veillette
Correction d'épreuves : Nancy Coulombe, Carine Paradis
Conception de la couverture : Tho Quan
Photo de la couverture : © Thinkstock
Mise en pages : Sébastien Michaud
ISBN papier 978-2-89667-498-5
ISBN numérique 978-2-89683-106-7
Première impression : 2011
Dépôt légal : 2011
Bibliothèque et Archives nationales du Québec
Bibliothèque Nationale du Canada

**Éditions AdA Inc.**
1385, boul. Lionel-Boulet
Varennes, Québec, Canada, J3X 1P7
Téléphone : 450-929-0296
Télécopieur : 450-929-0220
**www.ada-inc.com**
info@ada-inc.com

**Diffusion**
Canada :        Éditions AdA Inc.
France :        D.G. Diffusion
                Z.I. des Bogues
                31750 Escalquens — France
                Téléphone : 05.61.00.09.99
Suisse :        Transat — 23.42.77.40
Belgique :      D.G. Diffusion — 05.61.00.09.99

**Imprimé au Canada**

Participation de la SODEC. SODEC
Nous reconnaissons l'aide financière du gouvernement du Canada par l'entremise du Programme d'aide au
développement de l'industrie de l'édition (PADIÉ) pour nos activités d'édition.
Gouvernement du Québec — Programme de crédit d'impôt pour l'édition de livres — Gestion SODEC.

# 1

# Kithic

Beltane, 1962, San Francisco

Aujourd'hui, j'ai rencontré mon avenir, et je danse dans les rayons du soleil ! Ce matin, j'ai célébré Beltane dans le parc du centre-ville, et nous tous, les membres de Catspaw, nous avons fait de la magye superbe, là, aux vues de tous. Le soleil brillait, nous portions des fleurs dans nos cheveux, nous avons entrelacé des rubans autour de la perche de la fertilité, nous avons fait de la musique et nous avons fait appel à un pouvoir qui a tout illuminé. Nous avons bu du vin de fleurs de sureau, et tout autour de nous était si ouvert et magnifique. La Déesse se trouvait en moi, sa force vitale, et j'ai été stupéfaite par mon propre pouvoir.

J'ai su que j'étais prête à être avec un homme — j'ai dix-sept ans, je suis une femme. Et dès que j'ai eu cette pensée, j'ai levé les yeux pour les plonger dans ceux de quelqu'un. Stella Laban lui offrait un gobelet en papier rempli de vin. Il l'a pris et l'a siroté, et mes genoux ont presque flanché à la vue de ses lèvres.

Stella nous a présentés. Son nom est Patrick, et il est originaire de Seattle. Son assemblée porte le nom de Waterwind. Il est donc un Woodbane, comme moi et comme tous les membres de Catspaw.

Je ne pouvais le quitter des yeux. J'ai remarqué que ses cheveux marron étaient striés de gris, et des rides de sourire étaient creusées autour de ses yeux. Il était plus âgé que je ne le croyais — beaucoup plus âgé : il avait peut-être même cinquante ans.

Puis, il m'a souri, et j'ai senti mon cœur s'arrêter. Quelqu'un a glissé son bras autour de la taille de Stella, et elle s'est mise à danser en riant. Patrick m'a tendu la main, et sans y réfléchir, j'y ai glissé la mienne, et il m'a amenée à l'écart du groupe. Nous nous sommes assis sur une grosse pierre. Le soleil était chaud sur mes épaules nues, et nous avons parlé sans arrêt. Lorsqu'il s'est levé, je l'ai suivi vers sa voiture.

À présent, nous sommes chez lui, et il dort, et je suis tellement, tellement heureuse. Lorsqu'il s'éveillera, je lui dirai deux choses : Je t'aime. Apprends-moi tout ce que tu sais.

— SB

Je n'étais allée chez Sharon Goodfine qu'une fois auparavant, en compagnie de Bree Warren, à l'époque où Bree et moi étions meilleures amies. Ce soir-là, Sharon accueillait le cercle habituel du samedi soir de Cirrus chez elle, et j'étais curieuse de découvrir en quoi il serait différent des autres cercles. Chaque endroit est doté de sa propre énergie, de sa propre atmosphère. Chaque cercle était différent.

— Toute une piaule, a dit Robbie Gurevitch, mon autre meilleur ami d'enfance.

Il a scruté des yeux l'éclairage de l'aménagement paysager, les arbustes taillés avec soin recouverts de bonnets de neige, la brique peinte blanche de la maison coloniale. À lui seul, l'aménagement paysager avait probablement coûté davantage que le salaire annuel de mon père chez IBM. Le père de Sharon était un orthodontiste à la clientèle renommée. La rumeur voulait qu'il ait redressé la dentition de Justin Timberlake.

— Ouaip, ai-je répondu en glissant mes mains dans mes poches et en m'avançant vers l'allée.

Robbie m'avait reconduite dans sa Beetle rouge, et je pouvais reconnaître d'autres voitures garées le long de la large rue. Jenna Ruiz était là. Matt Adler s'était présenté dans sa propre voiture, bien entendu, puisque Jenna et lui avaient rompu. Ethan Sharp était là. Hunter était là, ai-je remarqué. Sous mon manteau, j'ai frissonné sous l'effet de l'excitation et de l'appréhension. D'autres voitures étaient stationnées à proximité, mais comme je ne pouvais les reconnaître, j'ai conclu qu'un voisin devait tenir une fête.

Sur le porche, Robbie m'a arrêtée au moment où j'allais actionner la sonnette. Je lui ai jeté un regard inquisiteur.

— Est-ce que ça va ? a-t-il demandé d'une voix douce, ses yeux bleu-gris plus sombres.

J'ai entrouvert la bouche pour protester avec indignation : «Bien sûr», mais je l'ai refermée. Je connaissais Robbie depuis trop longtemps et j'étais passée par trop d'épreuves à ses côtés pour me débarrasser de lui en lui faisant de pieux mensonges. Il était l'une des premières personnes à qui j'avais annoncé que j'étais une sorcière de sang, que j'étais adoptée, que j'étais une Woodbane. Parmi les Sept grands clans de la Wicca, les Woodbane étaient ceux qui cherchaient le pouvoir à tout prix et qui usaient de magye noire. Quand j'ai découvert que j'étais une sorcière de sang, j'ignorais quel était mon clan et j'avais espéré être une Rowanwand, une Wyndenkell, une Brightendale ou une Burnhide. Même être une Leapvaughn espiègle ou une Vikroth toujours sur le pied de guerre m'aurait satisfaite. Mais non, j'étais une Woodbane : impure.

Robbie et Bree m'avaient sauvé la vie trois semaines plus tôt quand Cal, le garçon que j'aimais, s'en était pris à ma vie. Et l'amitié de Robbie m'avait donné la force de poursuivre mes recherches pour découvrir la vérité sur mes parents biologiques. Il pouvait me lire comme un livre ouvert et il savait que mon état était fragile.

Alors, je lui ai simplement dit :

— Eh bien, j'espère que le cercle m'aidera.

Il a hoché la tête, satisfait de ma réponse, et j'ai appuyé sur la sonnette.

— Allô! a fait Sharon en parfaite hôtesse, ouvrant grand la porte et nous invitant à entrer.

J'ai aperçu Jenna et Ethan qui discutaient, debout derrière elle.

— Laissez vos manteaux dans le salon. J'ai fait de la place dans la salle de média.

Hunter m'a dit qu'il y aurait foule ce soir et il avait raison.

Elle a pointé du doigt une entrée de porte à l'autre extrémité du vaste salon. Ses cheveux foncés et fins ont balayé ses épaules quand elle s'est tournée vers Jenna pour répondre à sa question. J'ai entendu le tintement familier de ses bracelets en or.

Je me tenais sur place en me disant qu'il faudrait une bien petite pièce pour donner l'impression que les sept membres de Cirrus formaient une foule, quand les yeux de Robbie ont croisé les miens.

— Salle de média? a-t-il articulé silencieusement tout en secouant les épaules pour retirer son manteau.

Je n'ai pu m'empêcher de sourire.

Puis, j'ai ressenti un picotement sur ma nuque et, sachant ce qu'il signifiait, je me suis retournée pour apercevoir Hunter Niall avancer d'un pas décidé dans ma direction. Le reste de la pièce a cessé d'exister; soudain, les battements de mon cœur ont résonné dans mes oreilles. J'ai eu vaguement connaissance que Robbie s'éloignait pour accueillir quelqu'un.

— Tu m'évites, a dit Hunter de sa douce voix à l'accent britannique.

— Oui, ai-je admis tout en plongeant mon regard dans la mer verte de ses yeux.

Je savais qu'il avait appelé chez moi au moins deux fois depuis notre dernière rencontre, mais je n'avais pas retourné ses appels.

Il s'est appuyé sur le cadre de la porte. Je mesurais un mètre soixante-dix, et Hunter devait me dépasser d'une bonne vingtaine de centimètres. La dernière fois que je l'avais vu remontait à quelques jours ; je l'avais alors vu retirer les pouvoirs magyques d'un de mes amis. Il l'avait fait parce que son travail l'exigeait. À titre d'investigateur et de membre cadet de l'Assemblée internationale des sorcières, Hunter s'était vu obligé d'arracher à David Redstone son pouvoir et de le ligoter afin qu'il n'use plus jamais de magye, et ce, pour quelque raison que ce soit. J'avais eu l'impression d'être témoin d'une torture et j'éprouvais de la difficulté à trouver le sommeil depuis.

Mais ce n'était pas tout. Hunter et moi nous étions embrassés le soir avant le rituel, et depuis, je me languissais de lui d'une manière ahurissante et troublante. Ensuite, après le rituel, Hunter m'avait donné un cristal ensorcelé dans lequel il avait projeté mon image par le simple pouvoir de ses émotions. Nous savions tous les deux qu'il existait un lien entre nous ; un lien qui pourrait être extrêmement puissant, mais nous ne l'avions pas encore exploré. Je le désirais et ne le désirais pas à la fois. J'étais attirée vers lui, mais ce qu'il avait fait m'effrayait toujours. Vu mon incapacité à déchiffrer mes propres sentiments, je m'étais tournée vers une tactique à toute épreuve : l'esquive.

— Je suis content que tu sois venue ce soir, a-t-il dit, sa voix chassant une partie de ma tension. Morgan, a-t-il ajouté avec une hésitation qui ne lui ressemblait pas, ce que tu as vu, c'était difficile. C'est difficile d'en faire partie. C'était le troisième que je faisais, et c'est toujours plus difficile chaque fois. Mais le Conseil l'a ordonné, et c'était nécessaire. Tu sais ce qui est arrivé à Stuart Afton.

— Oui, ai-je doucement dit.

Stuart Afton, un homme d'affaires local, se remettait toujours de l'arrêt cardiaque provoqué par la magye noire de David Redstone. À présent, David se trouvait en Irlande, dans un établissement dirigé par une assemblée de Brightendale. Il y resterait pour une longue période pour apprendre à vivre sans magye.

— Tu sais, certaines personnes adoptent la Wicca ou naissent dans sa culture sans embûches, a poursuivi Hunter.

Ethan est passé près de nous pour gagner la salle de média, et j'ai entendu le bruit sec d'une canette de boisson gazeuse que l'on ouvre. Hunter a baissé la voix, et nous nous sommes retrouvés seuls dans notre conversation.

— Ces personnes étudient pendant des années, elles s'exercent à faire de la magye et en puisent la douce connaissance des cycles, des cercles et de la roue de la vie.

Un éclat de rire a retenti dans la salle de média. J'ai jeté un coup d'œil par-dessus l'épaule de Hunter pour entrevoir un garçon que j'ai presque reconnu. Comme il ne faisait pas partie de notre assemblée, je me suis demandé ce qu'il faisait là.

Hunter me rendait nerveuse, comme c'était souvent le cas — il avait toujours eu un effet puissant sur moi, et je ne comprenais pas davantage notre lien que l'attirance surprenante, voire effrayante, que je ressentais à son égard.

— Oui ? ai-je dit en tentant de suivre sa pensée.

— Pour toi, a-t-il continué, ça n'a pas été de tout repos. La Wicca, et tout ce qui lui est rattaché, t'a menée de traumatisme en traumatisme. Ta mère biologique, Belwicket, la vague sombre, Cal, Selene et à présent David... Tu n'as pas tellement eu le temps de te délecter de la beauté de la magye, d'apprécier la joie que procure un sortilège parfait, d'apprendre avec enthousiasme et d'être heureuse d'en découvrir toujours plus...

J'ai hoché la tête tout en gardant les yeux rivés sur lui. Mes sentiments à son sujet avaient changé de façon si radicale et si rapide. Je l'avais détesté quand je l'avais rencontré. À présent, il semblait si fascinant, attirant, en harmonie avec moi. Qu'est-ce que cela signifiait? Avait-il changé? Ou peut-être était-ce moi?

Hunter a redressé les épaules.

— Tout ce que j'essaie de dire est que tu es passée par de durs moments; ton automne a été rude et jusqu'à maintenant, l'hiver l'est aussi. La magye peut t'aider. Je peux t'aider, si tu m'en donnes la chance.

Puis, il s'est retourné pour se diriger vers la salle de média pendant que je le suivais du regard. Un instant plus tard, les voix se sont tues, et j'ai entendu Hunter demander aux membres de lui prêter leur attention.

J'ai retiré mon manteau et l'ai déposé sur une chaise avant de gagner le cercle.

En effet, il y avait foule dans la salle de média somptueuse de Sharon. Notre assemblée, Cirrus, se composait de sept membres : Hunter, notre chef; moi, Morgan Rowlands; Jenna; Matt; Sharon; Ethan et Robbie. Mais nous étions plus que sept dans la pièce. Près du téléviseur géant, j'ai aperçu Robbie discuter avec Bree Warren;

Bree, mon ancienne meilleure amie et devenue mon ennemie durant la période où nous nous disputions l'affection de Cal. Que faisait-elle chez Sharon, à notre réunion d'assemblée ? Elle était membre de Kithic, l'assemblée rivale fondée par elle, Raven Meltzer et la cousine de Hunter, Sky Eventide.

— Morgan, tu connais Simon ? a demandé une voix près de moi.

Je me suis retournée pour voir Sky qui esquissait un mouvement vers le garçon que j'avais cru reconnaître. J'ai réalisé que je l'avais vu à une fête chez Magye pratique, une boutique occulte située à Red Kill. La boutique dont David Redstone avait été propriétaire.

— Enchanté de te connaître, m'a dit Simon.

J'ai cligné des yeux.

— Moi aussi.

Puis, en me tournant vers Sky, je lui ai demandé :

— Qu'est-ce que vous faites ici ?

J'ai été étonnée de surprendre la nervosité sur le visage de Sky — un visage qui me rappelait tellement celui de Hunter. Ils étaient tous deux britanniques; grands, minces, incroyablement blonds, plutôt cool et distants. Ils étaient tous deux loyaux, braves et dédiés au bien. Sky paraissait plus à l'aise avec les gens que Hunter. Mais Hunter me semblait être le plus fort des deux.

— Hunter et moi avons une suggestion à vous faire, a dit Sky. Réunissons tout le monde, et nous vous parlerons de notre idée.

— Merci à tous d'être venus, a dit Hunter en haussant la voix avant de prendre une gorgée de sa boisson gazeuse au gingembre. Ici, nous avons deux assemblées, a-t-il poursuivi en désignant tous les gens dans la pièce. Cirrus, composée de sept membres, et Kithic, de six.

Il a pointé les six membres pour notre bénéfice.

— Le chef de Kithic, Sky Eventide, Bree Warren, Raven Meltzer, Thalia Cutter, Simon Bakehouse et Alisa Soto.

S'est ensuivi un moment où, perplexes, nous nous sommes souri et avons hoché la tête en signe d'assentiment.

— Hunter et moi avons songé à réunir les deux assemblées, a dit Sky.

J'ai senti mon sourcil se lever. Quand avait eu lieu cette discussion ? me suis-je demandé.

J'ai croisé le regard de Bree, qui se tenait de l'autre côté de la pièce, et elle m'a adressé une expression qui signifiait : « Je n'en savais rien, moi non plus. » Bree avait déjà fait partie de Cirrus. Il y avait eu une époque où je connaissais ses pensées aussi bien que les miennes. Tout de même, nous avions fait du progrès. À présent, nous pouvions nous parler sans nous disputer, ce qui était plus que ce que nous avions fait depuis des mois.

— Chaque assemblée est très petite, a expliqué Hunter. Et ceci divise notre énergie et nos pouvoirs. Si nous unissons les deux assemblées, Sky et moi pourrons nous partager le rôle de meneur, ce qui nous rendra plus forts.

— Et la nouvelle assemblée comptera treize membres, a fait Sky. Dans la magye, le nombre treize a des caractéristiques qui lui sont propres. Une assemblée de treize membres sera dotée de pouvoir et de force. Ceci rendra notre magye plus accessible, si on veut.

— Unir ? a demandé Jenna.

Ses yeux brun pâle se sont brièvement posés sur Raven, et je me suis souvenue qu'elle m'avait dit qu'elle ne ferait jamais partie de la même assemblée que la fille qui lui avait si ouvertement chipé Matt. Puis, son regard s'est posé sur Simon ; regard qu'il lui a rendu. Je l'avais aperçue lui parler à la fête chez Magye pratique. Tant mieux pour elle, me suis-je dit. Peut-être que l'attrait exercé par Simon compenserait son aversion pour Raven.

— Treize personnes, c'est beaucoup de monde, a fait Alisa, qui semblait jeune : elle devait avoir quinze ans.

Elle avait des cheveux bouclés d'un brun doré, une peau bronzée et de grands yeux sombres.

— C'est bien d'être moins nombreux, parce que tout le monde se connaît et c'est plus facile de se détendre.

Hunter a hoché la tête.

— Je comprends ton point de vue, a-t-il dit, mais le ton de sa voix annonçait qu'il s'apprêtait à la submerger d'arguments logiques, comme il l'avait fait pour moi de nombreuses fois. Et je suis d'accord qu'une partie de l'attrait du cercle réside dans son intimité ; le sentiment de solidarité et de soutien que nous partageons. Mais je t'assure qu'après deux mois de travail, nous apprécierons le plus grand cercle de soutien, le plus grand groupe d'amis, la plus grande source de force.

Alisa a hoché la tête d'un air incertain.

— Avons-nous le droit de voter ? a demandé Robbie.

— Oui, a immédiatement répondu Sky. Hunter et moi avons longuement réfléchi à cette idée. Nous partageons vos inquiétudes. Nous pensons cependant qu'il serait préférable d'unir les deux assemblées afin de rassembler nos forces et nos énergies. C'est ce que nous souhaitons faire; c'est la voie que nous désirons emprunter pour poursuivre nos découvertes. Mais, bien entendu, nous voulons savoir ce que vous en pensez.

Nous sommes demeurés silencieux un moment : tout le monde semblait attendre que quelqu'un se prononce. Puis, je me suis tenue droite.

— Je pense que c'est une bonne idée, ai-je dit.

Avant de parler, je n'étais pas certaine de ma réaction, mais maintenant, j'étais décidée.

— C'est logique d'unir nos assemblées, de devenir des alliés, de travailler ensemble plutôt que chacun de notre côté.

Les yeux de Hunter cherchaient à attirer mon regard, mais les miens sont demeurés rivés au groupe.

— La magye peut être sombre et dangereuse parfois, ai-je ajouté. Plus notre équipe est grande et mieux c'est, selon moi.

Douze personnes m'ont regardée. Pendant dix-sept ans, j'avais été timide et

embarrassée, et je savais que mes cama-
rades de classe, des gens qui me connaissaient bien, étaient surpris de me voir
donner mon opinion si ouvertement. Mais
tellement de choses s'étaient produites au
cours du dernier mois que, honnêtement, je
n'avais plus l'énergie nécessaire pour être
embarrassée.

— Je suis d'accord, a dit Bree pour
briser le silence.

J'ai vu la chaleur se dégager de ses yeux
bruns, et soudain, nous nous sommes
souri, presque comme si nous étions reve-
nues à la belle époque de notre amitié.

Tout le monde s'est alors mis à parler, et
après une discussion de vingt minutes,
nous avons voté en faveur de l'union des
deux assemblées. Notre nouvelle assemblée compterait treize membres et porterait
le nom de Kithic. J'espérais que la fin de
Cirrus m'aiderait à gérer la conclusion trau-
matisante de ma relation avec Cal. Je m'efforçais de ne pas me sentir engloutie par
tous les nouveaux commencements dans
ma vie.

Nous avons formé un cercle que je qualifierais de « minicercle », c'est-à-dire que nous n'avons pas suivi le rituel au complet, mais nous nous sommes tenus en rond en nous tenant la main pendant que Hunter et Sky dirigeaient des exercices de respiration.

Puis, Hunter a parlé.

— Comme certains d'entre vous l'ont déjà découvert, la Wicca a un côté effrayant, a-t-il dit en jetant un coup d'œil furtif dans ma direction. Ce n'est pas surprenant, peut-être, quand nous réalisons que nous avons tous la capacité d'user de l'ombre et de la lumière. La Wicca fait partie du monde, et le monde peut aussi être sombre. Mais une des choses que cette assemblée peut vous apporter est de vous aider à surmonter vos craintes personnelles. Moins il existera de lieux inexplorés en vous et plus il vous sera facile d'entrer en contact avec votre propre magye.

— Nous allons faire le tour du cercle, a dit Sky en poursuivant le discours de Hunter, et chacun d'entre vous va annoncer au groupe une de vos plus grandes peurs. Thalia, commençons par toi.

Thalia était une grande fille qui rappelait l'image d'une déesse de la fertilité avec ses longs cheveux bouclés et son visage de Madone.

— J'ai peur des bateaux, a-t-elle dit alors que ses joues prenaient une teinte légèrement rosée. Chaque fois que je monte à bord d'un bateau, je panique et j'ai peur qu'une baleine nage en dessous et me fasse tomber du bateau pour me noyer dans l'océan. J'ai peur même si je me trouve seulement dans une chaloupe sur un étang pour canards.

J'ai entendu Matt retenir un rire et j'en ai ressenti une pointe d'agacement.

Robbie était le suivant. Il a posé les yeux sur Bree avant de dire :

— J'ai peur de ne pas avoir la patience d'attendre ce que je désire réellement.

Robbie et Bree avaient commencé à se fréquenter récemment, mais d'une manière très prudente et non engagée. Il était amoureux d'elle et souhaitait qu'ils s'engagent dans une vraie relation, mais jusqu'à présent, celle-ci rejetait l'idée.

J'ai vu le regard de Bree se soustraire à celui de Robbie et j'ai aussi remarqué une lueur d'intérêt dans les yeux de Thalia. Quelques semaines plus tôt, j'avais surpris des rumeurs voulant que Thalia ait le béguin pour Robbie. Si Bree ne faisait pas attention, Thalia pourrait très bien lui prendre Robbie, ai-je pensé.

Ethan a ensuite pris la parole, sans adopter son ton badin habituel.

— J'ai peur de me montrer faible et de perdre une personne vraiment importante pour moi.

J'ai présumé qu'il faisait référence à sa consommation de marijuana. Quand Sharon et lui avaient commencé à se fréquenter, il avait plus ou moins laissé tomber cette habitude, en partie parce qu'il savait qu'elle n'aimait pas qu'il consomme de la drogue.

Sharon, qui tenait la main gauche d'Ethan, l'a regardé d'un air ouvertement affectueux.

— Je n'ai pas peur, moi, a-t-elle simplement dit avant de se tourner vers le reste du groupe. Je suis terrifiée à l'idée de mourir, a-t-elle indiqué.

Nous avons poursuivi la démarche dans le cercle. Jenna craignait de ne pas être assez brave. Raven avait peur qu'on la contraigne à s'engager. Matt craignait que personne n'arrive à le comprendre. J'ai songé à lui dire qu'il devrait d'abord tenter de se comprendre lui-même, mais j'ai réalisé que ce n'était ni le temps ni l'endroit indiqué pour le faire.

— J'ai peur de ne jamais obtenir ce que je désire réellement, a dit Bree d'une petite voix tout en fixant le sol des yeux.

— Je crains l'amour non partagé, a dit Sky, ses yeux foncés projetant le même air énigmatique que d'habitude.

— J'ai peur du feu, a dit Simon.

J'ai sursauté, surprise.

Mes parents biologiques avaient été brûlés vifs dans une grange, et Cal avait tenté de me brûler vive quand j'avais refusé de me joindre au complot mené par sa mère et lui. Moi aussi, j'avais peur du feu.

— Je crains ma colère, a dit Alisa.

Cela m'a surprise, car elle semblait si douce.

Puis, mon tour est venu. J'ai entrouvert les lèvres en ayant l'intention de partager ma peur du feu, mais quelque chose m'a arrêtée. J'ai senti le regard de Hunter posé sur moi, et on aurait dit qu'il braquait un projecteur sur les recoins les plus sombres de mon esprit pour me pousser à y déterrer mes plus grandes peurs.

— J'ai peur de ne jamais savoir qui je suis, ai-je dit.

Et en le disant, je savais que c'était la vérité.

Hunter était le dernier à prendre la parole. D'une voix claire, il a annoncé :

— J'ai peur de perdre d'autres personnes que j'aime.

Mon cœur saignait pour lui. Son frère était décédé à l'âge de quinze ans, assassiné par un esprit sombre appelé *taibhs*. Et son père et sa mère étaient disparus dix ans plus tôt, forcés à se cacher en raison de la vague sombre — un nuage maléfique et destructeur qui avait anéanti de nombreuses assemblées, y compris celle de mes parents biologiques. Je savais qu'il avait une jeune sœur et je réalisais pour la première fois qu'il devait constamment s'inquiéter à son sujet.

Je l'ai alors regardé pour surprendre ses yeux rivés sur moi et j'ai ressenti un picotement sur ma peau comme si l'air s'était soudain chargé d'électricité.

Un instant plus tard, nous nous sommes relâché les mains, et le cercle s'est conclu. J'ai deviné que bien des membres resteraient pour discuter, mais je me sentais étrangement asociale et je suis allée récupérer mon manteau. Les événements des dernières semaines m'avaient bouleversée davantage que je ne l'avais admis à quiconque. Depuis la veille, nous étions officiellement en congé scolaire pour les vacances d'hiver, et j'étais soulagée à l'idée d'avoir des heures de temps libre pour tenter d'absorber la myriade de changements qui étaient survenus dans ma vie au cours des trois derniers mois.

— Robbie? ai-je fait en interrompant du coup sa conversation avec Bree.

Ils étaient blottis l'un contre l'autre, et j'ai eu l'impression d'entendre Robbie la cajoler pendant que Bree résistait d'un ton taquin.

— Oh, hé, Morgan, a dit Robbie en me regardant à contrecœur.

C'est alors que la voix de Hunter est venue à mes oreilles pour provoquer un frisson le long de mon épine dorsale.

— Je peux te raccompagner chez toi ?

En apercevant le soulagement gagner le visage de Robbie, j'ai hoché la tête et lui ai dit :

— Ouais, merci.

Hunter a enfilé son blouson de cuir et son chapeau, et je l'ai suivi dans l'obscurité.

# 2

# Dérapage

San Francisco, 7 août 1968

Je suis occupée à emballer les effets de Patrick. La semaine dernière a eu lieu le service funèbre — tous les membres de Catspaw et quelques personnes de Waterwind y ont assisté. Je n'arrive pas à croire qu'il est parti. Parfois, je suis persuadée qu'il est toujours là, qu'il grimpera les marches de l'escalier, qu'il va me téléphoner ou qu'il va passer la porte, tenant un nouveau livre, prêt à partager une nouvelle découverte.

Mon amie Nancy m'a demandé si le fait qu'il était mon aîné de plus de quarante ans m'avait dérangée. Ça n'a jamais été le cas. Il était un homme magnifique, peu importe son âge. Et plus important encore, il m'aimait et il partageait ses connaissances avec moi pour me permettre d'en apprendre le plus possible. Mes pouvoirs sont dix fois plus puissants aujourd'hui que le jour où nous nous sommes rencontrés.

À présent, Patrick est parti. Sa maison est la mienne, ses effets sont à moi. Je parcours des yeux ses livres et je réalise qu'il en possédait un grand nombre dont j'ignorais l'existence. Il y a des livres vieux de centaines d'années que je ne peux même pas déchiffrer. Des livres rédigés en code. Des livres ensorcelés que je ne peux ouvrir. Je vais demander l'aide de Stella pour y arriver. Depuis qu'elle a pris la direction de Catspaw, j'ai de plus en plus confiance en elle.

Sans la présence de Patrick pour me distraire, de nombreuses choses me semblent plus claires. Je n'en suis pas certaine, mais je pense qu'il a usé de magye noire à quelques reprises. Je pense que certains des gens qui sont venus ici faisaient appel aux ténèbres. À ce moment-là, je n'y avais pas réellement prêté attention. À présent, je crois que Patrick me jetait souvent des sorts afin que je ne questionne pas ses occupations. Je suppose que je comprends pourquoi il l'a fait, mais j'aurais aimé qu'il me croie capable d'accepter ce qu'il faisait sans le condamner.

Je suis parvenue à ouvrir un livre en brisant le sortilège de confidentialité à l'aide d'un antisortilège qui a nécessité presque deux heures de travail. À l'intérieur, j'y ai trouvé des sortilèges que Patrick ne m'avait jamais montrés : des sorts pour invoquer les animaux, pour transporter son énergie ailleurs, pour provoquer des changements au loin. Il ne s'agit pas de la magye noire en soi, mais ils sont tout de même interdits. Le Conseil affirme que les sortilèges servant à manipuler les choses ne devraient pas être utilisés à la légère. Aucun membre de Catspaw ne toucherait à un tel livre, *même si tous les membres sont des Woodbane. Mais moi, je les tenterais. Pourquoi ne puis-je pas apprendre tout ce qu'il y a à savoir? Si cette connaissance existe, pourquoi devrais-je y être aveugle?*

*Ce livre m'appartient maintenant. Et je vais l'étudier.*

*— SB*

Lorsqu'on se retrouve seul dans une voiture avec quelqu'un, on dirait que le reste du monde a cessé d'exister. Je m'étais sentie de la même façon, trois semaines plus tôt, quand Cal m'avait kidnappée, m'avait jeté un sort qui m'empêchait de bouger et m'avait conduite chez lui. Cette nuit-là, seule dans la voiture avec Cal, j'avais ressenti une douleur sans nom : une panique pure, de la peur, de la colère et du désespoir.

Mes sentiments étaient tout autre maintenant, avec Hunter à mes côtés. Récemment, comme il paraissait évident qu'il demeurerait à Widow's Vale pour un certain temps, il s'était procuré une petite voiture Honda cabossée pour remplacer la voiture de location qu'il avait conduite jusque-là. Le petit habitacle était douillet, intime.

— Merci de ton appui à l'union des deux assemblées, a-t-il dit pour briser le silence.

— Je pense que c'est une bonne idée. Je préfère savoir à quoi m'en tenir avec tout le monde, à quoi ils s'occupent.

Il a émis un petit rire avant de secouer la tête.

— C'est une critique sévère, a-t-il dit. J'espère qu'un jour, tu pourras de nouveau faire confiance aux autres.

Je me suis efforcée de ne pas sourciller à cette pensée. J'avais fait confiance à Cal et avais failli y laisser ma vie. J'avais fait confiance à David pour réaliser qu'il avait lui aussi un côté sombre. Qu'est-ce qui me rendait aveugle au mal? Était-ce mon sang Woodbane?

Et pourtant...

— J'ai confiance en toi, ai-je dit avec franchise, bien que mal à l'aise avec le sentiment de vulnérabilité que ces mots éveillaient en moi.

Hunter a jeté un coup d'œil vers moi, et ses yeux étaient d'un gris insondable dans l'obscurité. Sans dire un mot, il a avancé son bras vers mon siège pour me prendre la main. Sa peau était froide, et mes doigts ont effleuré une callosité sur sa paume. Lui tenir la main me paraissait audacieux, étrange. Tenir la main de Cal avait semblé si naturel — un geste qui était le bienvenu.

J'avais dix-sept ans et n'avais eu qu'un seul petit ami. Depuis le baiser remarquable échangé avec Hunter, je savais qu'il y avait un lien entre nous, mais il n'était pas mon petit ami, et nous n'avions pas encore eu de rendez-vous officiel.

J'ai pris une profonde inspiration pour obliger mon pouls à ralentir.

— Je sais que le but de la magye est la clarté, ai-je dit. Mais je me sens si confuse.

— La magye même vise la clarté, a acquiescé Hunter. Mais rien n'est clair chez l'humain. La magye est parfaite, mais les gens ne le sont pas. Quand on combine les deux, il est évident qu'il y aura des passages troubles. Quand tu te trouves seule avec la magye, comment te sens-tu?

J'ai réfléchi aux moments où j'avais travaillé sur des sortilèges, où j'avais tenu un cercle seule, où j'avais fait des présages dans le feu, où j'avais utilisé les outils de ma mère.

— C'est comme le paradis, ai-je doucement dit. La perfection.

— Voilà, a dit Hunter en serrant ma main plus fort tout en manœuvrant le volant de l'autre.

Ses phares avant coupaient les ténèbres de la nuit sur la route sinueuse menant vers le centre-ville de Widow's Vale.

— C'est ce qui se produit quand il n'y a que la magye pure et toi. Mais dès que tu ajoutes d'autres personnes dans la mêlée, surtout si elles ne sont pas complètement lucides, la confusion s'ensuit.

— Il ne s'agit pas seulement de la magye, ai-je dit en fixant mon regard à l'extérieur de la voiture et en tentant d'ignorer la sensation excitante de sa main sur la mienne.

J'ignorais comment l'expliquer. Malgré ma relation de deux mois avec Cal, j'étais encore relativement une débutante dans le monde des relations gars-fille. Je devinais que Hunter m'aimait bien et je partageais le sentiment, mais c'était tellement différent. Cal avait adopté une approche évidente et persistante pour me séduire. Quel genre de personne étais-je pour m'intéresser à Hunter, le trouver attirant alors qu'à peine quelques semaines plus tôt, j'étais persuadée d'être follement amoureuse de Cal ? Pourtant, Hunter était là, me tenant la main, me reconduisant à la maison et il allait probablement m'embrasser plus tard. Un petit frisson m'a parcouru l'échine.

Hunter a franchi à toute vitesse une courbe serrée, ce qui m'a fait tomber vers lui.

Puis, sa main a quitté la mienne pour regagner le volant.

— Holà, ai-je dit pour camoufler ma déception. Nous allons un peu vite, non ?

— Je ne peux rien y faire, a-t-il dit avec son accent britannique clair. Les freins ne semblent pas vouloir répondre.

— Quoi ?

Confuse, j'ai jeté un coup d'œil de son côté pour surprendre sa mâchoire serrée et son visage tendu sous l'effet de sa concentration.

— Les freins ne fonctionnent pas, a-t-il répété.

J'ai écarquillé les yeux en comprenant le sens de ses paroles.

Alarmée, j'ai regardé devant. Nous étions sur une descente, dans une des sections les plus sinueuses de la route — là où les pancartes recommandaient une vitesse maximale de trente kilomètres à l'heure. L'indicateur de vitesse affichait déjà quatre-vingts kilomètres à l'heure.

Mon cœur a cogné fort, une fois.

— Merde. Essaie de rétrograder, ai-je dit d'un ton léger afin de ne pas le distraire.

— Oui, mais je veux éviter un dérapage. Je pourrais éteindre le moteur.

— Tu perdrais alors la direction, ai-je murmuré.

— Oui, a-t-il dit d'un air sévère.

Le temps a ralenti son rythme. J'ai enregistré les faits — la route était glacée, nous portions nos ceintures de sécurité, la voiture était petite et se froisserait comme une boîte de conserve, mon cœur cognait contre mes côtes, mon sang coulait comme de l'eau glacée dans mes veines — à mesure que Hunter rétrogradait avec force, ce qui faisait râler et grogner le moteur. Une secousse a gagné la voiture. Je me suis agrippée fermement à la poignée de la portière pendant que mon pied appuyait sur un frein inexistant sur le sol. « Je suis trop jeune pour mourir, ai-je pensé. Je ne veux pas mourir. »

Nous étions en troisième vitesse et nous filions à environ soixante-cinq kilomètres à l'heure, en descente. Le moteur a gémi, luttant inutilement contre la gravité et la force d'inertie qui tiraient la voiture vers l'avant et lui faisaient reprendre de la vitesse. J'ai jeté un coup d'œil vers Hunter en respirant à peine. Son visage était blanc dans la faible lumière projetée par le tableau de bord, comme si sa peau avait été taillée dans des ossements. J'ai entendu les pneus crisser et j'ai senti les embardées angoissantes du véhicule alors que nous négociions courbe après courbe.

Hunter a rétrogradé la vitesse encore une fois, et, agacée, la voiture a sursauté bruyamment. Mon dos s'est cogné contre mon siège pendant que la voiture semblait tanguer vers le côté, comme un cheval effrayé. Hunter a saisi le frein à main pour le soulever lentement. Je n'ai ressenti aucun effet. Puis, dans un mouvement brusque, Hunter l'a actionné complètement, et la voiture a bondi de nouveau avant de déraper latéralement, en direction d'un fossé bordé d'arbres. Si la voiture faisait des tonneaux, nous serions écrasés. J'ai cessé de respirer et je suis restée assise, figée.

Hunter est passé à la première vitesse tout en faisant un dérapage, et nous avons fait une queue de poisson à demi contrôlée et interminable au beau milieu de Picketts Road. Hunter nous a laissés déraper, et lorsque la voiture a suffisamment ralenti, il a coupé le moteur. Le volant s'est bloqué, mais ce n'était pas un problème — nous avons poursuivi notre dérapage avant de nous arrêter de justesse dans un tintamarre sur l'accotement, à peine à une dizaine de centimètres d'un sycomore noueux et massif qui nous aurait aplatis si nous l'avions percuté.

Une fois que les grincements du moteur torturé et des roues se sont arrêtés, le silence de la nuit a été entrecoupé uniquement de nos halètements superficiels. J'ai difficilement avalé ma salive tout en ayant l'impression que ma ceinture de sécurité était la seule chose qui me maintenait en place. On aurait dit que mes yeux étaient énormes alors qu'ils cherchaient le visage de Hunter.

— Est-ce que ça va ? a-t-il demandé d'une voix légèrement secouée.

J'ai hoché la tête.

— Et toi ?

— Oui. Ç'aurait pu être tragique.

— Tu es doué pour les euphémismes, ai-je faiblement dit. *C'était* tragique, et ç'aurait pu être mortel. Qu'est-il arrivé avec les freins ?

— Bonne question, a fait Hunter tout en survolant les bois sombres du regard.

J'ai jeté un coup d'œil à la ronde moi aussi.

— Oh, nous sommes près de Riverdale Road, ai-je dit en reconnaissant une courbe de la route. Nous sommes à environ deux kilomètres et demi de chez moi. Das Boot a atterri dans un fossé pas trop loin d'ici.

Hunter a défait sa ceinture de sécurité.

— Nous pouvons nous rendre chez toi à pied ?

— Ouais.

Hunter a verrouillé les portières de la voiture silencieuse, soigneusement garée en bordure de la route comme si elle ne venait pas tout juste de nous faire frôler la mort. Nous avons commencé à marcher, et je suis restée silencieuse, car je savais que Hunter projetait ses sens : j'ai réalisé qu'il cherchait une présence à proximité. Et c'est là que j'ai tout saisi : il n'était pas certain que le problème des freins était accidentel.

Sans y réfléchir, j'ai projeté mes sens tel un filet jeté vers les bois, dans l'air de la nuit, sur le gazon endormi sous la neige.

Mais je n'ai rien senti d'extraordinaire. Apparemment, Hunter non plus, car ses épaules se sont détendues sous son blouson, et il a ralenti le pas. Il s'est arrêté pour poser les mains sur mes épaules et baisser les yeux vers moi.

— Tu es certaine que ça va? a-t-il demandé d'une voix douce.

— Oui, ai-je fait en hochant la tête. C'était effrayant, c'est tout.

J'ai avalé ma salive.

— Tu crois que cette partie de la route a été ensorcelée? Nous sommes tellement près de l'endroit où j'ai eu mon accident. Et Selene…

— N'est pas dans les parages. Nous vérifions tous les jours, et elle est partie, a dit Hunter.

Selene Belltower était la mère de Cal; celle qui l'avait incité à me courtiser. Elle voulait s'approprier mes pouvoirs de Woodbane, de même que les outils de l'assemblée Woodbane de ma mère que j'avais en ma possession. Si elle ne pouvait y parvenir, elle me voulait morte, hors d'état de nuire. Bien qu'elle s'était enfuie de Widow's Vale des semaines plus tôt, il me suffisait de penser à elle pour que mon cœur s'emballe.

— Quand tu as eu ton accident, tu penses avoir vu des phares derrière toi, non? a poursuivi Hunter. Et tu as ressenti de la magye, n'est-ce pas?

Il a secoué la tête.

— Dans ce cas-ci, c'était de la simple mécanique. Les freins ne répondaient tout simplement pas. Je vais appeler une dépanneuse quand nous arriverons chez toi, si je le peux.

— Bien sûr, ai-je répondu en prenant une grande respiration et en tentant de détendre mes muscles noués de peur. Et je pourrai te reconduire à la maison.

— Merci.

Il a eu un moment d'hésitation, et je me suis demandé s'il allait m'embrasser. Mais il s'est retourné vers la route, et nous avons poursuivi notre chemin vers chez moi.

Le froid nous faisait avancer plus rapidement, et à un moment donné, Hunter a pris ma main pour l'engouffrer avec la sienne dans la poche de son blouson. Sentir sa peau contre la mienne était merveilleux et j'aurais aimé passer mes bras autour de lui sous son blouson. Pourtant, je demeurais dans l'incertitude avec lui — impossible pour moi de risquer un tel geste.

Comme s'il pouvait lire mes pensées, Hunter s'est tourné vers moi pour surprendre mon regard. J'ai rougi, j'ai baissé la tête et je me suis mise à marcher encore plus rapidement. J'étais soulagée quand nous avons tourné dans ma rue.

Mes parents et ma sœur de quatorze ans, Mary K., regardaient un film dans la salle familiale quand nous sommes entrés. Hunter leur a annoncé platement qu'il avait eu « un petit pépin avec sa voiture », et ils se sont faits du mauvais sang pendant qu'il appelait une dépanneuse. Quand il a raccroché, j'ai jeté un coup d'œil à l'horloge : il était quelques minutes passé onze heures.

— Maman, est-ce que ça va si je conduis Hunter à sa voiture, puis chez lui ? ai-je demandé.

Maman et papa ont eu une de ces conversations muettes typiques entre parents avant que maman ne hoche la tête.

— Je suppose que oui. Mais je t'en prie, sois extrêmement prudente. Je ne sais pas ce qui se passe avec les voitures et toi, Morgan, mais je commence à m'inquiéter de te savoir sur la route.

J'ai hoché la tête en ressentant une pointe de culpabilité. Mes parents ne connaissaient pas la moitié de l'histoire. Trois semaines plus tôt, Robbie m'avait sauvé la vie. Malheureusement, pour ce faire, il avait dû prendre le volant de Das Boot et frapper de plein fouet le pavillon de la piscine de Cal où j'étais prisonnière. Mes parents (qui croyaient que j'avais percuté un lampadaire) m'avaient prêté l'argent nécessaire pour réparer la devanture de ma voiture.

— OK, ai-je acquiescé.

Hunter et moi avons renfilé nos manteaux pour nous diriger en direction de Das Boot, ma Plymouth Valiant, modèle 1971, qui s'apparentait davantage à un sous-marin. J'ai automatiquement grimacé à la vue de son nouveau pare-chocs brillant, de son capot bleu ardoise et de ses flancs tachetés de gris. Son style arc-en-ciel était horrible.

L'intérieur de la voiture était glacé et ses vieux sièges en vinyle n'étaient d'aucun secours. Nous sommes restés silencieux pendant que je nous conduisais à la voiture de Hunter pour attendre la dépanneuse. Hunter semblait être perdu dans ses pensées.

Après une petite minute d'attente, l'unique dépanneuse de Widow's Vale était en vue. Ma dernière rencontre avec John Mitchell remontait à quelques semaines plus tôt, quand Das Boot et moi nous étions retrouvées dans le fossé. Il a jeté un coup d'œil de mon côté pendant qu'il fixait des chaînes à la voiture de Hunter.

— Nous avons perdu les freins, a expliqué Hunter pendant que John remontait la voiture de Hunter à la manivelle sur le plateau du camion.

— Hummm, a fait John avant de se pencher sous la voiture pour l'examiner rapidement. Je ne vois rien à première vue, a-t-il commencé avant de cracher sur le côté de la route. À part le fait qu'il ne te reste plus de liquide à frein.

— Vraiment? a fait Hunter en levant les sourcils.

— Ouais, a répondu John d'un ton presque ennuyé.

Il a remis une planche à pince à Hunter afin qu'il signe un papier.

— De toute façon, je vais la mener chez Unser, et il va t'arranger ça.

— Bien, a dit Hunter en se frottant le menton.

Nous avons regagné Das Boot et regardé la dépanneuse filer avec la voiture de Hunter. J'ai démarré le moteur et je me suis mise en route en direction des limites de la ville, vers la maisonnette qu'il partageait avec Sky.

— Plus de liquide à frein, ai-je dit. Ça peut arriver, comme ça?

— C'est possible, mais ça me semble peu probable. J'ai demandé une mise au point quand j'ai acheté la voiture, a expliqué Hunter. S'il y avait une fuite, le mécanicien l'aurait vue.

J'ai ressenti des picotements de peur.

— Alors, à quoi penses-tu? ai-je demandé.

— Je pense qu'il nous faut des réponses, a fait Hunter en regardant pensivement par la vitre.

Dix minutes plus tard, je me suis garée dans la cour de la maison miteuse qu'il louait et j'ai aperçu la Peugeot noire et cabossée de Raven stationnée devant la maison.

— Raven et Sky s'entendent bien? ai-je demandé.

— Je pense que oui, a répondu Hunter. Elles passent beaucoup de temps ensemble. Je sais que Sky est une grande fille, mais j'ai peur qu'elle soit blessée.

J'aimais voir le côté tendre de Hunter et je me suis tournée pour lui faire face.

— J'ignorais que Sky était lesbienne jusqu'à ce qu'elle et moi fassions notre *tàth meànma*.

Quelques semaines plus tôt, Sky et moi avions fait ce que j'appelle un emmêlement wiccan des esprits. Quand nos pensées ont été unies, j'avais été surprise de découvrir qu'elle ressentait un désir très fort pour Raven, la fille gothique rebelle de notre ville.

— Je ne pense pas que Sky *soit* lesbienne, a fait Hunter pensivement. Elle a déjà eu des relations avec des gars. Je pense qu'elle aime qui elle aime, si tu comprends ce que je veux dire.

J'ai hoché la tête. J'avais à peine trempé le petit orteil dans la mare ordinaire des relations hétérosexuelles — toute variation dépassait grandement les limites de mon esprit.

— En tous les cas, a dit Hunter en ouvrant la portière de son côté, ce qui a laissé l'air froid s'infiltrer dans la voiture. Conduis prudemment. Tu as un cellulaire ?

— Non.

— Alors, envoie-moi un message de sorcière, m'a-t-il indiqué. Si quoi que ce soit qui sort un tant soit peu de l'ordinaire survient, envoie-moi un message et j'accourrai. Promis ?

— OK.

Hunter a cessé de bouger.

— Je devrais peut-être emprunter la voiture de Sky et te suivre jusqu'à la maison.

J'ai roulé des yeux, refusant d'admettre que j'avais la trouille à l'idée de rentrer seule chez moi.

— Tout ira bien.

Il a plissé les yeux.

— Non, je vais aller chercher les clés de Sky.

— Veux-tu bien arrêter ? J'ai parcouru ces routes un million de fois. Je t'appellerai si j'ai besoin de toi, mais je suis certaine que ce ne sera pas nécessaire.

Il s'est rassis dans la voiture et a refermé la portière. Le plafonnier s'est éteint.

— Tu es incroyablement têtue, a-t-il fait remarquer, comme s'il cherchait à entamer une discussion.

Comme je savais que ses intentions étaient honorables, j'ai ravalé ma réponse acerbe.

— C'est seulement que… Je suis très autonome, ai-je dit d'un ton embarrassé. J'ai toujours été comme ça. Je n'aime pas devoir des choses aux autres.

Il m'a regardée.

— Parce que tu crains qu'ils ne te déçoivent?

J'ai haussé les épaules.

— En partie, je suppose. Je ne sais pas.

J'ai détourné mon regard vers l'extérieur de la voiture : cette discussion m'était déplaisante.

— Écoute, a-t-il dit d'une voix calme. Je ne sais pas ce qui est arrivé à ma voiture. Nous ne croyons pas que Cal et Selene soient dans les parages, mais la réalité est que nous ignorons où ils sont et ce qu'ils font. Tu pourrais être en danger.

Ce qu'il disait était vrai, mais j'étais réticente à lui concéder ce point.

— Tout va bien aller, ai-je dit en sachant que mon entêtement était inutile, mais j'étais incapable de faire autrement.

Hunter a poussé un soupir d'impatience.

— Morgan, je…

— Écoute, tout ira bien. Arrête de faire un tas d'histoires et laisse-moi rentrer chez moi.

Avais-je déjà adopté une attitude si franche et directe avec Cal? Mon seul désir était que Cal me trouve attirante, car j'avais l'impression d'être à des années-lumière du genre de fille qui l'intéressait. J'avais tenté de devenir une version plus attirante de Morgan, malgré des tentatives plutôt stupides et maladroites. Avec Hunter, je n'y avais jamais fait attention. C'était très libérateur de pouvoir prononcer toutes les paroles qui voulaient franchir mes lèvres sans me préoccuper de lui plaire ou non.

Nos regards se sont croisés, comme si nous croisions le fer. Je ne pouvais m'empêcher de comparer son apparence à celle de Cal. Cal avait été plus doré, exotique et incroyablement séduisant. Hunter était plus classique, comme une statue grecque — tout en formes et en plans. Sa beauté était froide. Pourtant, en le regardant, le désir de le toucher, de l'embrasser et de le prendre dans mes bras grandissait en moi jusqu'à ce que je puisse à peine le contenir.

Il a remué sur son siège, et j'ai presque tressailli quand sa main froide a effleuré ma joue. J'étais hypnotisée par ce seul toucher et je suis demeurée assise, immobile.

— Je suis désolé, a-t-il dit de sa voix basse. J'ai peur pour toi. Je veux que tu sois en sécurité.

Il m'a adressé un sourire ironique.

— Je ne peux pas m'excuser de m'inquiéter pour toi.

Lentement, il s'est penché vers moi, et sa tête a voilé le clair de lune qui éclairait faiblement la voiture. Avec une infinie tendresse, ses lèvres ont trouvé les miennes, et soudain, nous échangions un baiser passionné, et j'étais complètement euphorique. Quand il s'est retiré, nous étions tous deux à bout de souffle. Il a rouvert la portière, et j'ai cligné des yeux sous la lumière du plafonnier. Il a secoué la tête, comme pour clarifier ses pensées; il ne semblait pas savoir quoi dire. J'ai léché mes lèvres et j'ai porté mon regard vers le pare-brise, incapable de le regarder.

— Je t'appelle demain, a-t-il doucement dit. Conduis prudemment.

— OK, suis-je parvenue à dire.

Je l'ai regardé franchir l'allée vers le porche et j'aurais voulu le rappeler à moi pour le prendre dans mes bras et me blottir contre lui. Il s'est retourné à ce moment-là, et, embarrassée, je me suis demandé s'il avait décelé ma pensée. J'ai appuyé sur l'accélérateur pour filer de là.

Avec les sorcières, tout était possible.

# 3

# Confidences

5 novembre 1968

La tête me tourne encore quand je songe à tout ce que j'ai vu au cours de la dernière semaine.

Tout a commencé quand j'ai trouvé le Livre des ombres de Patrick datant de sa période avec Turneval. C'est là que j'ai découvert que Waterwind n'était qu'une des assemblées à laquelle il avait appartenu. C'était celle dans laquelle il avait grandi, à Seattle, et elle était similaire à Catspaw : formée de Woodbane qui avaient renoncé à tout ce qui était lié aux ténèbres. Mais depuis que je parcours ses écrits de sa période avec Turneval, je découvre une tout autre facette de sa personnalité.

Quel gaspillage : oh, Patrick ! Si seulement tu avais partagé tout cela avec moi, comme tu partageais tout le reste !

Je me demande s'il croyait que Turneval m'horrifierait. Comment pouvait-il ne pas savoir que j'aurais été ouverte à tout ce qu'il voulait bien me montrer, m'apprendre ; à toute forme de pouvoir ? Il devait le savoir. Peut-être attendait-il le bon moment ? Peut-être voulait-il me montrer tout ça, mais il est mort avant de pouvoir le faire ?

Je ne le saurai jamais. Je sais seulement que j'aurais adoré faire partie de Turneval à ses côtés ; que j'aurais aimé qu'il m'apprenne tout ce qu'être Woodbane signifie.

Le jour de Samhain, plutôt que de me joindre aux festivités de Catspaw, je me suis rendue à un cercle de Turneval. Nous avons commencé par faire des cercles de pouvoirs où nous avons invoqué la Déesse, comme lors de mes cercles avec Catspaw. Puis, tout a changé. Les sorcières de Turneval connaissaient des sortilèges qui ouvraient la porte à la magie la plus profonde ; la magie contenue dans toutes les créatures et les vies qui ne font plus partie de ce monde. Pour la première fois, j'ai pris conscience d'un univers de ressources inexploitées, de strates d'énergies, de pouvoirs et de liens qu'on ne m'avait jamais montrés. C'était à la fois effrayant et insupportablement excitant. Je suis trop novice pour utiliser ce pouvoir, bien entendu — je ne sais même pas comment y puiser de l'énergie. Mais Hendrick Samuels, un des anciens de Turneval, s'est donné entièrement à ce pouvoir et il a changé de forme devant nous. Déesse, il a changé de forme ! Les assemblées parlent du changement de forme comme s'il s'agissait du conte de Boucle d'or, mais cela existe et c'est possible. Devant mes yeux, j'ai vu Hendrick prendre l'apparence d'un couguar, et il était glorieux. Je dois me rapprocher de lui afin qu'il partage son secret avec moi.

*Patrick a consacré sa vie à l'étude de cette magye ; cette magye qu'il m'a cachée. C'est ma destinée. J'aurais dû naître dans cet esprit. Je le sais maintenant.*

*— SB*

— Ça n'ennuie pas tes parents que tu manques la messe ?

Les yeux foncés de Bree s'effaçaient derrière la vapeur émanant de sa tasse de café. Nous nous trouvions dans un grand café, situé dans un mail linéaire sur la route principale. C'était un endroit populaire le dimanche matin, et nous étions entourées de gens qui buvaient du café, dégustaient des pâtisseries et lisaient des sections du journal.

Je lui ai fait une grimace avant d'étaler une épaisse couche de beurre sur mon scone aux raisins.

— Ça les dérange. D'une certaine façon, ils seraient plus à l'aise avec le fait que je suis wiccane si je demeurais aussi une catholique.

— Et ça n'est pas possible? a demandé Bree entre deux bouchées de sa galette à la mélasse.

J'ai poussé un soupir.

— C'est difficile.

Bree a hoché la tête et nous nous sommes contentées de manger durant quelques minutes. Je l'ai étudiée à la dérobée. Même si elle m'était familière, nous étions des personnes très différentes de celles que nous avions été trois mois plus tôt, quand la Wicca et Cal étaient entrés dans nos vies. Nous abordions notre nouvelle amitié avec prudence. Nous étions toujours gauches dans nos rapports, mais c'était bon de passer du temps et de parler avec elle à nouveau.

— J'aime bien des choses à propos du catholicisme. J'aime la messe, la musique et voir tout le monde, ai-je dit. Avoir le sentiment d'appartenir à quelque chose de plus grand que ma famille. Mais c'est difficile de m'habituer à quelques aspects. La Wicca me paraît tellement plus naturelle.

J'ai haussé les épaules.

— En tout cas, je n'avais pas envie d'y aller cette semaine. Cela ne veut pas dire que je n'y retournerai jamais.

Bree a hoché à nouveau la tête avant de redresser son haut noir. Comme d'habitude, elle était chic et belle, parfaitement bien mise, même si elle ne portait qu'un jean, un pull et aucune trace de maquillage. Normalement, j'avais l'impression d'être une bûcheronne en sa compagnie, avec ma poitrine plate, mon nez proéminent, mes cheveux ordinaires et ma piètre garderobe. Aujourd'hui, je me surprenais à me sentir forte sous mon apparence, comme si la sorcière en moi pourrait un jour être assez attirante pour la Morgan externe.

— Comment va Mary K. ? a demandé Bree.

J'ai brassé mon café.

— Elle est un peu déprimée dernièrement. Depuis le fiasco avec Bakker, on dirait qu'elle s'attend à ce qu'une tonne de briques lui tombe sur la tête.

Bakker Blackburn, l'ex-petit ami de ma sœur, avait tenté à deux reprises de la contraindre à avoir une relation sexuelle avec lui.

— Le con, a dit Bree. Tu devrais lui jeter un sort horrible. Lui donner l'acné de Robbie.

En octobre, lors d'un excès d'expérimentation, j'avais concocté une potion magyque qui avait effacé toute trace de la terrible acné dont Robbie avait souffert pendant des années. La potion avait eu des effets secondaires imprévus, comme la correction de sa vue, si bien qu'il n'était plus obligé de porter ses lunettes aux verres de fond de bouteille. Sans l'acné et les lunettes, Robbie s'est transformé en un gars d'une beauté saisissante.

J'ai ri.

— Allons, tu sais que nous ne sommes pas censées faire de telles choses.

— Oh, comme si ça pouvait t'arrêter, a-t-elle lancé.

J'ai ri davantage.

En réalité, depuis la découverte de mes pouvoirs, j'avais assoupli, sinon carrément ignoré, certaines des lignes directrices non

écrites de la Wicca en ce qui concerne l'utilisation responsable de la magye. Mais j'essayais également de suivre la bonne voie.

— En parlant de Robbie, ai-je fait pour
aborder le sujet tout en haussant les sourcils de manière suggestive.

Bree a baissé les yeux sur son assiette.

— Oh, Robbie, a-t-elle dit d'un ton
vague.

— Vas-tu lui briser le cœur ?

Mon ton était léger, mais nous savions
tous les deux que j'étais sérieuse.

— J'espère que non, a-t-elle répondu en
tapotant son assiette du doigt. Je ne veux
pas lui faire de peine. Le problème est qu'il
se donne complètement — son cœur, son
âme, son corps.

— Et tu veux bien son corps, ai-je
deviné.

— Je me meurs de son corps, a-t-elle
admis.

— Tu ne souhaites rien d'autre de sa
part ? ai-je demandé. Tu sais que Robbie est
un super bon gars. Il ferait un excellent
petit ami.

Bree a émis un grognement avant de se prendre la tête dans les mains.

— Comment le sais-tu ? Nous le connaissons depuis que nous sommes bébés ! Je le connais *trop* bien. Il est comme un copain, un frère.

— À ceci près que tu veux coucher avec lui.

— Ouais. Je veux dire, il est superbe. Il est... fabuleux. Il me rend folle.

— Je ne pense pas que ce soit seulement physique, ai-je dit. Il ne te mettrait pas l'estomac en boule si tu ne ressentais aucune émotion.

— Je sais, je sais, a marmonné Bree. Je ne sais pas quoi faire. Je n'ai jamais eu ce problème auparavant. Normalement, je sais exactement ce que je veux et la façon de l'obtenir.

— Eh bien, bonne chance, ai-je fait en soupirant. On dirait bien que des relations sont en branle un peu partout, ai-je ajouté. Raven et Sky. Jenna et Simon...

— Ouais, a dit Bree d'un ton plus enjoué. Je suis renversée par Sky et Raven. Je veux dire, Raven est une fille à mecs.

— Peut-être que tout ce temps-là, elle voulait une fille, ai-je suggéré.

Nous avons échangé un autre regard étonné et un peu idiot.

— Peut-être. Et Jenna et Simon, tu crois ? a demandé Bree en prenant une gorgée de café.

— Je pense que oui. Ils semblent avoir un grand intérêt l'un pour l'autre, ai-je indiqué. J'espère qu'ils vont former un couple. Jenna mérite d'être heureuse après la façon dont Matt s'est comporté avec elle.

Je me suis soudainement interrompue en me rappelant que Raven avait tenté de mettre le grappin sur Matt principalement afin qu'il se joigne à son assemblée — l'assemblée dont Bree avait aussi été membre. L'ancienne assemblée de Kithic.

L'espace d'un instant, Bree a semblé mal à l'aise, comme si, elle aussi, elle réfléchissait aux événements alambiqués du dernier mois.

— La vie change constamment, a-t-elle finalement dit.

— Oui, oui.

— En tout cas, a fait Bree, qu'est-ce qui passe entre Hunter et toi ?

Je me suis étouffée avec ma gorgée de café et j'ai passé la minute qui a suivi à tousser de façon inélégante pendant que Bree haussait ses sourcils parfaits en me regardant.

— Euh, ai-je finalement dit d'une voix enrouée. Euh, je ne le sais pas exactement.

Son regard s'est rivé sur moi, et j'ai remué d'inconfort sur mon siège.

— On dirait que vous projetez des flammèches quand vous êtes ensemble.

— Parfois, ai-je admis.

— Es-tu toujours amoureuse de Cal ?

Le simple fait d'entendre son nom, surtout de la bouche de Bree, m'a fait grimacer. Bree avait cru être amoureuse de lui. Ils avaient couché ensemble avant que Cal et moi ayons commencé à nous fréquenter, ce que — je pouvais le voir maintenant — Cal avait fait en partie pour creuser un fossé entre Bree et moi afin que je devienne plus dépendante de lui. Je trouvais tout de même difficile d'accepter le fait que Cal et

Bree avaient couché ensemble alors que lui et moi n'avions jamais eu ce rapport, même si je l'avais aimé profondément et si j'avais pensé qu'il partageait ce sentiment.

— Il a essayé de me tuer, ai-je dit d'une petite voix en ayant l'impression que le café n'était pas assez grand.

Une vague de compassion a traversé son visage, et elle a avancé sa main sur la table pour toucher la mienne.

— Je sais, a-t-elle doucement dit, mais je sais aussi que tu l'aimais. Comment te sens-tu à son sujet aujourd'hui?

Je l'aime toujours, ai-je pensé. Je suis remplie de rage et de haine envers lui. Il m'a dit qu'il m'aimait, il m'a dit que j'étais belle, il m'a dit qu'il voulait me faire l'amour. Il m'a blessée si profondément qu'il m'est impossible de l'exprimer. Il me manque, et je me déteste pour cette faiblesse.

— Je ne sais pas, ai-je finalement dit.

Alors que j'ouvrais la portière de ma voiture dans le terrain de stationnement, du coin de l'œil, j'ai aperçu un garçon qui sortait du club vidéo situé juste à côté du café. J'ai levé les yeux, et mon cœur a cessé de battre. Il regardait un morceau de papier dans sa main, mais je n'avais pas besoin de voir son visage. J'avais glissé mes doigts dans ces cheveux foncés, à la coupe échevelée… J'avais embrassé cette poitrine large et lisse… J'avais fixé des yeux si souvent ces jambes longues et puissantes dans leur jean bleu pâle…

Puis, il a levé les yeux, et j'ai vu qu'il ne s'agissait pas de Cal après tout. C'était un garçon que je n'avais jamais vu, aux yeux bleu pâle et à la peau ravagée. Je suis demeurée debout là, paralysée sous le soleil éclatant, pendant qu'il me lançait un regard étrange avant de se diriger vers sa voiture et de grimper à bord.

On aurait dit qu'une minute entière était passée avant que mon pouls retrouve son rythme normal. Je me suis glissée derrière le volant de Das Boot et je suis rentrée à la maison. Mais pendant toute la durée du trajet, je n'ai pas pu m'empêcher de jeter des regards dans le rétroviseur pour vérifier si quelqu'un me suivait.

Plus tard, quand le téléphone a sonné, j'ai accouru pour y répondre, en sachant qu'il s'agissait de Hunter.

— Je peux passer ? a-t-il demandé quand j'ai soulevé le récepteur.

À mon retour de mon café avec Bree, maman, papa et ma sœur étaient déjà de retour de la messe. Comme je me sentais coupable de ne pas y être allée avec eux, j'avais tenté de m'acquitter de tâches dignes d'une bonne fille en dégageant la neige de notre allée, en nettoyant le salon et en vidant le lave-vaisselle. Inviter Hunter à la maison démolirait en quelque sorte mes tentatives de marquer des points auprès de ma famille.

— Oui, ai-je rapidement dit alors que mon cœur battait plus vite au son de sa voix. Comment te rendras-tu ici ?

Silence. J'ai failli éclater de rire en réalisant qu'il n'avait pas pensé à ce petit détail.

— Je vais emprunter la voiture de Sky, a-t-il fini par dire.

— Tu veux que je vienne te prendre ? ai-je demandé.

— Non. Tes parents sont là ? Pourrons-nous nous parler seul à seul ?

— Oui, mes parents sont ici, et nous pouvons être en tête à tête sur le porche avant pendant que toute ma famille se demande de quoi nous parlons.

Il a semblé contrarié.

— Nous ne pouvons pas aller dans ta chambre ?

Mais de quelle planète venait-il ?

— Je suis désolée, Votre Majesté, mais je n'habite pas seule, ai-je dit. J'ai dix-sept et non pas dix-neuf ans, et j'habite chez mes parents. Et mes parents ne pensent pas que ce soit une bonne idée que des garçons se trouvent dans ma chambre parce qu'il y a un lit dans cette pièce !

Et là, bien sûr, l'idée de Hunter étendu sur mon lit a causé une sensation de brûlure sur mes joues, et j'étais désolée d'avoir ouvert ma grande gueule. Quelle bourde !

— Oh, c'est vrai. Désolé — j'ai oublié, a-t-il dit. Mais je dois te parler en privé. Peux-tu me rencontrer au petit parc public en bordure du grand supermarché sur la route 11 ?

J'y ai réfléchi.

— Oui. Dans dix minutes.

Il a raccroché sans dire au revoir.

Quand je suis arrivée, Hunter m'attendait, debout à côté de la voiture de Sky. Il a ouvert la portière de Das Boot pour se glisser sur le siège du passager. Il était d'une humeur tendue et coléreuse, et le plus étrange est que je l'ai deviné en ressentant les vagues sensorielles qui émanaient de lui et non par son visage ou son langage corporel. On aurait dit qu'il projetait ces émotions et que je pouvais simplement les ressentir. Mes pouvoirs de sorcière se développaient chaque jour, ce qui était merveilleux et un peu effrayant à la fois.

J'ai gardé les yeux rivés sur le pare-brise en attendant qu'il parle, humant son odeur propre et fraîche.

— J'ai parlé à Bob Unser ce matin, a-t-il dit. Il n'y avait aucun liquide à frein dans la voiture, mais encore pire, les conduites de frein ont été sectionnées, juste à côté du réservoir à liquide.

Je me suis tournée pour le regarder.

— Sectionnées?

Il a hoché la tête.

— Elles n'ont pas été exactement coupées; ce n'était pas aussi clair. Il n'a pas pu conclure que quelqu'un les avait coupées. Mais il a admis que c'était inhabituel puisque les deux conduites lui avaient semblé normales quand il a fait la vérification de la voiture la semaine dernière. Il semble évident qu'elles ne pourraient pas s'user si rapidement.

— As-tu vérifié s'il y avait des traces de sortilèges ou de magye sur la voiture? ai-je demandé.

— Oui, bien sûr, a-t-il dit. Il n'y avait rien d'autre que les sortilèges de protection que j'ai jetés moi-même.

— Alors, qu'est-ce que ça signifie? Était-ce un accident, une personne, une sorcière ou quoi?

— Je ne sais pas, a-t-il admis. Je tends à penser qu'il s'agit d'une personne et non d'un accident. Je pense que c'est une sorcière parce que je ne connais pas beaucoup de gens qui ne le sont pas, et je n'ai certainement pas d'ennemis parmi eux.

— Est-ce possible que ce soit Cal? me suis-je obligée à demander. Ou Selene?

— J'ai pensé à eux avant tout, bien entendu, a-t-il dit d'un ton neutre alors que les poils se dressaient sur mes bras.

Je me suis souvenue du garçon que j'avais aperçu dans l'aire de stationnement ce matin-là; celui que j'avais confondu avec Cal.

— Mais je ne crois toujours pas qu'ils sont dans la région, a-t-il ajouté. Je balaie la place chaque matin, à la recherche de signes de leur présence, mais je n'ai rien trouvé. Bien entendu, je ne suis pas aussi puissant que Selene, a-t-il dit. Parce que je ne peux pas sentir sa présence ne signifie pas qu'elle soit vraiment partie. Mais je ne peux pas m'empêcher de croire que je détecterais quelque chose s'ils étaient toujours dans les parages.

— Comme quoi? ai-je demandé.

Ma bouche était soudain sèche.

— Difficile à dire, a dit Hunter. Je veux dire, parfois, je ressens… quelque chose. Mais il se passe tellement de choses que c'est difficile pour moi de les délimiter.

Il a froncé les sourcils.

— Si tu étais plus forte, nous pourrions travailler ensemble et joindre nos forces.

— Je sais, ai-je dit.

J'étais trop épeurée pour être irritée par son évocation de ma faiblesse.

— Je suis seulement une novice. Mais qu'en est-il de Sky ?

— Eh bien, Sky et moi avons déjà joint nos pouvoirs, a-t-il dit. Mais tu as le potentiel d'être plus forte qu'elle ou moi. Voilà pourquoi tu dois étudier et en apprendre le plus possible. Le plus rapidement tu seras à jour et le plus rapidement tu pourras nous aider et aider le Conseil. Tu pourrais même devenir membre.

— Ha ! me suis-je exclamée. Oublie ça. Je ne deviendrai jamais membre du Conseil ! Être une contrôleuse de la Wicca ? Non, merci !

Puis, j'ai réalisé comment mes paroles pouvaient être perçues par Hunter, un membre du Conseil, et j'aurais voulu les retirer. Trop tard.

Hunter a serré les lèvres et a fixé son regard du côté de sa fenêtre. Personne d'autre en vue : nous étions dimanche après-midi, et il ne faisait pas assez chaud pour que des enfants s'amusent sur le terrain de jeu. Le silence a rempli mes oreilles, et j'ai poussé un soupir.

— Je suis désolée, ai-je dit. Ce n'est pas ce que je voulais dire. Je sais que ce que tu fais est beaucoup plus important que ça. Bien trop important pour que je songe à le faire, ai-je dit avec franchise. Je peux à peine arriver à m'habiller le matin ces jours-ci, alors pour ce qui est de penser à faire quoi que ce soit d'autre... Tout me paraît si... accablant en ce moment.

— Je comprends, m'a répondu Hunter à ma surprise. Tu es passée par de nombreuses épreuves. Et je sais que je mets énormément de pression sur tes épaules. J'oublie parfois comme tout ça est nouveau pour toi. Mais le talent et la puissance que tu possèdes, c'est tellement rare. Cela arrive peut-être une fois par génération. Je ne souhaite pas te donner une idée exagérée de ton importance, mais tu dois réaliser que tu es importante et que tu deviendras une joueuse importante dans le monde de la Wicca. Tu peux le gérer de deux façons : tu deviens un ermite qui se retire loin du monde pour étudier et apprendre par lui-même, ou tu épouses ton pouvoir et acceptes les joies et les déchirures qu'il comporte.

Embarrassée, j'ai baissé les yeux sur mes cuisses.

— Je voulais te parler de quelque chose ; d'un moyen d'acquérir beaucoup de connaissances rapidement. On appelle ça un *tùth meànma brach*, et c'est, en fait, comme un *tàth meànma* hyper chargé.

— Je ne comprends pas, ai-je dit.

— Tu fais un *tàth meànma* avec une sorcière qui en connaît beaucoup plus que toi ; un érudit ayant plus d'expérience sans nécessairement posséder une plus grande puissance, a expliqué Hunter. Vous établirez un lien très profond et ouvert et, en gros, partagerez toutes vos connaissances. Ce serait comme si, soudain, tu acquerrais les connaissances d'une vie en quelques heures.

— C'est incroyable, ai-je dit avec enthousiasme. Bien sûr que je veux le faire.

Il m'a jeté un regard d'avertissement.

— Ce n'est pas une décision que tu dois prendre à la légère. C'est une expérience énorme, tant pour toi que pour l'autre sorcière. Cela peut être douloureux, voire dangereux. Si une des sorcières n'est pas prête ou si elles sont trop différentes, les dommages peuvent être graves. J'ai entendu parler d'un cas où l'une des sorcières est devenue aveugle par la suite.

— Mais j'en saurais tellement plus, ai-je dit. Cela en vaut le risque.

— Ne décide pas maintenant, a-t-il poursuivi. Je voulais simplement t'en parler. Cela augmenterait ta capacité à te protéger : plus tu auras de connaissances et plus facilement tu pourras accéder à ton pouvoir. Et je t'en parle en partie parce que tu as déjà attiré l'attention de personnes très puissantes : Selene et sa bande de Woodbane. Le plus rapidement tu pourras te protéger, le mieux ce sera.

J'ai hoché la tête.

— J'aimerais savoir où ils sont, ai-je dit. J'ai peur de regarder par-dessus mon épaule. Je m'attends toujours à voir Cal ou Selene.

— Je me sens de la même façon, parfois. Pas à leur sujet, en particulier, mais je me suis fait suffisamment d'ennemis par mon travail d'investigateur pour qu'il y ait un certain nombre de sorcières qui souhaitent ma mort. En passant, j'ai tenu compte de ceci en ce qui concerne les conduites de frein sectionnées. Ce serait stupide de ma part de ne pas tenir compte de toutes les possibilités.

Il a remué sur son siège.

— En fait, tout ce que j'essaie de dire est que nous devons tous deux être encore plus prudents dorénavant. Nous devons renforcer les sorts de protection sur ta voiture et ta maison, et sur ma voiture et sur ma maison, de même que sur la voiture de Sky. Nous devons être vigilants et prudents. Je ne veux pas qu'il arrive quoi que ce soit... ni à toi ni à moi.

Nous sommes demeurés assis en silence pendant quelques minutes, à réfléchir à tout cela. J'étais inquiète, mais quelque peu réconfortée par la présence de Hunter. Je me sentais protégée en sachant qu'il se trouvait à Widow's Vale. Pendant combien de temps aurais-je cette impression ? Quand allait-il partir ?

— Je ne sais pas combien de temps je resterai ici, a-t-il dit en me perturbant par l'exactitude de sa réponse à ma question muette. Un autre mois, une autre année, davantage : je ne sais pas.

Je détestais songer à son départ sans vouloir en examiner la raison. C'est alors que sa main forte a doucement repoussé une mèche de cheveux de ma joue, et ma gorge s'est nouée. Nous étions seuls dans ma voiture, et quand il s'est penché vers moi, je pouvais sentir la chaleur de son souffle. J'ai fermé les yeux et j'ai laissé ma tête reposer contre mon siège.

— Pendant que je suis ici, a-t-il dit d'une voix douce, je vais t'aider et te protéger du mieux que je le pourrai. Mais tu dois être forte avec ou sans moi. Promets-moi que tu y travailleras.

J'ai légèrement hoché la tête, les yeux toujours fermés. Tout ce à quoi je pensais était : « Embrasse-moi. Embrasse-moi. »

Et il m'a embrassée ; ses lèvres étaient chaudes sur les miennes, et j'ai enroulé mes mains autour de son cou. Une image à peine visible de Cal est passée dans mon esprit avant de disparaître, et j'ai été attirée vers la lumière de Hunter, la pression de sa bouche, sa respiration, la chaleur de sa poitrine dure alors qu'il se serrait plus fort contre moi. J'ai ressenti autre chose — une douce caresse en moi, telles des ailes délicates effleurant mon cœur. J'ai su, sans un mot, sans un doute, qu'il s'agissait de l'essence de Hunter ; que nos âmes se touchaient. Et j'ai pensé : « Oh, la beauté de la Wicca. »

# 4

# Commencement

2 mai 1969

Ma peau est ridée et mes cheveux sont collants et raides en raison du sel. Je me suis plongée dans un bain purifiant pendant deux heures ; une baignoire remplie de poignées de sel de mer et entourée de cristaux et de bougies à la sauge. Mais bien que je puisse chasser l'énergie négative de mon corps, je ne peux effacer les images dans mon esprit.

Hier soir, j'ai vu mon premier taïbhs, et il me suffit d'y penser pour me mettre à trembler. Chaque enfant de Catspaw entend des histoires à leur sujet, bien sûr ; des histoires d'épouvante au sujet des maléfiques taïbhs qui volent l'âme des enfants wiccans qui n'écoutent pas leurs parents et leurs professeurs. Je n'ai jamais cru qu'ils existaient réellement. Je suppose que je les imaginais comme des rescapés de l'âge des ténèbres, un peu comme les sorcières volant sur des balais, les chats noirs, les verrues sur le nez : rien à voir avec nous, aujourd'hui.

Mais Turneval m'a fait voir le contraire la nuit dernière. Je m'étais habillée avec soin pour le rituel dans le but de surpasser en sorcellerie, en beauté et en puissance toutes les autres femmes qui y seraient. Ils m'avaient promis quelque chose de spécial, un cadeau mérité après des mois de formation et d'apprentissage. Il s'agissait d'une étape que je devais franchir avant de devenir membre à part entière de Turneval.

À présent, en y repensant, j'ai honte de ma naïveté. J'ai fait mon entrée d'une démarche assurée, convaincue de ma beauté, de ma force et de ma nature impitoyable pour finalement découvrir à la fin de la soirée que je suis faible, ignorante et indigne de ce que m'offre Turneval.

Ce qui est arrivé n'est pas ma faute. J'étais un simple témoin. Ceux qui ont dirigé le rituel ont fait des erreurs dans leurs limites, dans l'écriture des sortilèges, dans les cercles de protection. Timothy Cornell invoquait un taibhs pour la première fois, et il s'y est mal pris. Et ça l'a tué.

Un taibhs ! Je n'arrive toujours pas à y croire. C'était un être et, en même temps, ça ne l'était pas ; un esprit et le contraire ; un amas sombre de pouvoir et de faim, au visage et aux mains d'un humain et à l'appétit d'un démon. Je me tenais là, dans le cercle, enthousiaste et pleine d'anticipation quand, soudain, la pièce est devenue froide, glaciale, et j'ai remarqué que les autres se tenaient la tête basse, les yeux clos. Puis, je l'ai vu prendre forme dans un coin. On aurait dit une tornade miniature, des vapeurs et de la fumée bouillonnant et se torsadant sur elles-mêmes pour prendre une forme solide. Il n'était pas censé faire quoi que ce soit : nous l'avions simplement invoqué en guise de pratique. Mais Timothy s'y est mal pris, et la chose s'est retournée contre lui, a brisé les cercles de protection, et nous ne pouvions rien y faire.

Voir une personne mourir aux mains d'un taibhs est horrible et s'en souvenir rend malade. Je souhaite seulement tout effacer : les cris de Tim, son âme arrachée à son corps. Je tremble maintenant, simplement à y penser. Quel idiot ! Il ne méritait pas le pouvoir qu'on lui a offert.

Pour la première fois, je comprends pourquoi mes parents — aussi limités et plates qu'ils étaient — ont choisi de travailler avec leur type de magye. Ils n'auraient pas pu contrôler les forces des ténèbres, pas plus qu'un enfant ne pourrait arrêter une inondation en enfonçant un torchon dans une digue.

À présent, je suis roulée en boule sur mon lit, mes cheveux mouillés tombant dans mon dos comme une pluie, et je me demande quelle voie je *choisirai : la voie sécuritaire et ennuyante de mes parents, ou celle de Turneval, où le pouvoir et le mal sont entremêlés comme les fils d'une corde. Quelle voie est la plus terrifiante à mes yeux ?*

*— SB*

— Ouvre une fenêtre. Cette odeur me rend malade, s'est plainte Mary K.

J'ai déposé mon rouleau à peinture pour ouvrir tout grand les fenêtres de ma chambre. Instantanément, l'air glacial s'est engouffré dans la pièce pour chasser l'odeur chimique de la peinture. J'ai reculé pour admirer le travail déjà accompli par ma sœur et moi. Deux murs de ma chambre étaient déjà couverts de la douce couleur du café crème. Les deux autres murs arboraient toujours les bandes enfantines roses que je tentais d'éliminer. J'ai fait un grand sourire, déjà heureuse de la transformation. J'étais en train de changer, et ma chambre le devait aussi pour me suivre.

— Tu vas seulement habiter ici une autre année, m'a fait remarquer Mary K. en traçant avec précaution une ligne près du plafond.

Elle avait noué un foulard couvert de peinture sur sa tête, et bien qu'elle portait un pantalon de survêtement et un vieux pull miteux, elle ressemblait à une chanteuse adolescente de musique populaire.

— À moins que tu ne sois acceptée à Vassar ou à SUNY New Paltz et que tu fasses l'aller-retour.

— Eh bien, je n'ai pas à prendre de décision à ce sujet pour l'instant, ai-je dit.

— Mais pourquoi tu te soucies de ta chambre maintenant? m'a demandé Mary K.

— Je ne peux plus supporter ce rose, ai-je dit en roulant de la peinture sur le papier peint.

— Tu te souviens quand je t'ai demandé si tu avais déjà fait l'amour? a soudainement lancé Mary K., me faisant pratiquement échapper mon rouleau. Avec Cal?

Elle était de retour : cette sensation familière de crispation et de serrement d'estomac que je ressentais chaque fois que l'on prononçait son nom.

— Ouais? ai-je dit d'un ton méfiant.

— Est-ce que vous avez fait l'amour, après notre discussion?

J'ai pris une inspiration et l'ai relâchée lentement en comptant mentalement jusqu'à dix. Je me suis concentrée à peindre une ligne lisse et large sur le mur, en adoucissant les bordures et en aplatissant les gouttes.

— Non, suis-je parvenue à dire d'une voix calme. Non, nous ne l'avons jamais fait.

Une idée noire m'est alors passée par la tête.

— Toi et Bakker...

— Non, a-t-elle dit. C'était la raison pour laquelle il se fâchait autant.

Elle avait seulement quatorze ans, mais un quatorze ans mature et fort en courbes. Je me sentais incroyablement reconnaissante que Bakker n'ait pas réussi à la pousser à aller plus loin que là où elle était prête à aller.

De mon côté, j'avais dix-sept ans. J'avais toujours présumé que Cal et moi ferions l'amour un jour, quand je serais prête, mais les fois où il s'est essayé, j'ai dit non. Je n'étais pas certaine de la raison, bien qu'à présent, je me demandais si mon subconscient n'avait pas réalisé que je n'étais pas en sécurité ; que je ne pouvais suffisamment faire confiance à Cal pour me retrouver au lit avec lui. Pourtant, j'avais aimé nos autres rapprochements : les baisers intenses, notre manière de nous toucher, la façon dont la magye ajoutait une tout autre dimension de proximité. À présent, je ne connaîtrais jamais l'expérience de faire l'amour avec Cal.

— Et Hunter ? a demandé Mary K. en me jetant un regard pensif depuis l'escabeau.

— Qu'en est-il de Hunter ?

J'ai tenté d'emprunter un ton badin sans vraiment y parvenir.

— Tu penses que tu vas coucher avec lui ?

— Mary K., ai-je commencé en sentant mes joues s'enflammer, je ne *sors* même pas avec lui. Il arrive même que nous ne nous entendions pas du tout.

— Ça commence toujours comme ça, a lancé Mary K. avec la sagesse de ses quatorze ans.

Comme nous avions commencé tôt, les murs étaient peints au moment du déjeuner. Pendant que je nettoyais le matériel, Mary K. est descendue à la cuisine pour nous préparer des sandwichs. Récemment, elle avait commencé à manger des aliments santé. Elle nous a donc préparé des sand-wichs au beurre d'arachide et aux bananes sur pain aux sept grains. Ils étaient éton-namment bons.

J'ai terminé mon sandwich avant de prendre une gorgée de Coke diète.

— Ah, rafraîchissant, ai-je dit.

— Tous ces trucs artificiels, ce n'est pas bon pour toi, a dit Mary K. d'une voix molle.

Je l'ai examinée attentivement. Elle ne semblait pas se remettre facilement de la dépression de sa rupture avec Bakker.

— Hé. Que fais-tu cet après-midi ? ai-je demandé en pensant que nous pourrions peut-être aller dans les boutiques ou aller voir un film ou toute activité typique de sœurs.

— Pas grand-chose. Je pensais me rendre à la messe de quinze heures, a-t-elle dit.

Surprise, j'ai éclaté de rire.

— À la messe un lundi ? Que se passe-t-il ? ai-je demandé. Tu veux joindre un couvent ?

Mary K. m'a adressé un faible sourire.

— C'est seulement que… Tu sais, avec tout ce qui est arrivé, j'ai besoin d'un coup de pouce. D'un soutien supplémentaire. Je peux le trouver à l'église. Je veux être plus près de ma foi.

J'ai bu mon Coke diète à petites gorgées sans arriver à trouver quoi que ce soit de constructif à lui dire. Au milieu du silence, j'ai soudain pensé « Hunter », et le téléphone a sonné. J'ai étiré le bras pour répondre.

— Hé, Hunter, ai-je dit.

— Je veux te voir, a dit Hunter avec son habitude de laisser tomber les salutations. Il y a une foire d'antiquités à environ une demi-heure d'ici. Je me demandais si tu voulais y aller.

Mary K. me regardait, et j'ai haussé les sourcils dans sa direction.

— Une foire d'antiquités? a été ma réponse pétillante d'esprit.

— Oui. Ça pourrait être intéressant. C'est tout près, à Kaaterskill.

Comme Mary K. observait les expressions qui se dessinaient sur mon visage, j'ai mimé exagérément une bouche béante.

— Hunter, est-ce que tu m'invites officiellement à un rendez-vous? ai-je demandé au bénéfice de Mary K., qui s'est assise plus droite, l'air intriguée.

Silence au bout du fil. J'ai souri.

— Parce que tu sais, ça ressemble à un rendez-vous, ai-je insisté. Je veux dire, est-ce qu'on se rencontre par affaires?

Mary K. a silencieusement ricané.

— Nous sommes deux amis qui font une activité ensemble, a dit Hunter d'un ton très britannique. J'ignore pourquoi tu te sens obligée d'y apposer une étiquette.

— Quelqu'un d'autre se joindra à nous?

— Bien, non.

— Et tu n'appelles pas ça un rendez-vous?

— Veux-tu venir avec moi ou non? a-t-il demandé avec raideur.

Je me suis mordu la lèvre afin de ne pas éclater de rire.

— J'irai, ai-je dit avant de raccrocher. Je pense que Hunter vient de me demander un rendez-vous, ai-je dit à Mary K.

— Wow, a-t-elle dit avec un grand sourire.

J'ai bondi à l'étage pour prendre une douche en me demandant comment il était possible, à un moment où ma vie était aussi stressante et effrayante, que je sois si heureuse.

Vingt minutes plus tard, Hunter est venu me prendre à bord de la voiture de Sky. Mes cheveux mouillés étaient ramassés dans une longue tresse lourde qui tombait dans mon dos. Je lui ai offert un Coke diète, mais il a frissonné de dégoût. Puis, nous étions en route pour Kaaterskill.

— Pourquoi te souciais-tu de savoir s'il s'agissait d'un rendez-vous ou non ? a-t-il soudain demandé.

J'ai été étonnée de lui donner une réponse franche.

— Je voulais savoir où nous en étions.

Il a jeté un regard de mon côté. Il était vraiment beau, et mon esprit a soudainement été bombardé d'images de lui alors que nous nous embrassions ; il avait paru intense et passionné. J'ai regardé par la vitre.

— Et où en sommes-nous ? a-t-il demandé d'une voix douce. Tu veux que ce soit un rendez-vous ?

J'étais embarrassée à présent.

— Oh, je ne sais pas.

Hunter a alors pris ma main pour la porter à sa bouche et l'embrasser. Mon souffle est devenu superficiel.

— Je veux que ce soit comme tu le désires, a-t-il dit en conduisant d'une main, sans me regarder.

— Quand je le saurai, je te le dirai, ai-je répondu d'une voix tremblante.

La foire d'antiquités avait lieu dans une énorme grange semblable à un entrepôt, au beau milieu de la campagne de l'État de New York. Il n'y avait pas beaucoup de monde, comme c'était le dernier jour de la foire. Les étalages étaient plus ou moins garnis, mais je profitais de cet après-midi avec Hunter, sans magye. Mon humeur s'est faite encore plus joviale quand j'ai découvert une boîte taillée parfaite pour maman et un vieux baromètre en laiton que papa adorerait. Deux cadeaux que je pouvais rayer de ma liste d'emplettes de Noël. J'étais horriblement en retard dans mes préparatifs des Fêtes. Noël approchait à grands pas, et je l'avais à peine réalisé. Notre assemblée planifiait aussi une fête pour Yule, mais heureusement, cela n'impliquait pas d'échange de cadeaux.

J'étais captivée par le contenu de la vitrine ancienne d'un dentiste quand Hunter m'a appelée.

— Regarde ça, a-t-il dit en pointant vers une sélection de courtepointes aux motifs amish.

J'avais toujours eu un faible pour les courtepointes amish; leurs couleurs éclatantes et solides et la géométrie réconfortante de leurs patrons. Hunter pointait du doigt une courtepointe arborant le motif inhabituel d'un cercle.

— C'est un pentacle, ai-je doucement dit en touchant le coton du bout des doigts. Une étoile entourée d'un cercle.

Le fond de la courtepointe était noir et dans chaque coin était piqué un motif de neuf pièces aux couleurs sarcelle, rouge et pourpre. Le grand cercle touchait chaque coin et était fait d'un coton pourpre. Une étoile rouge à cinq pointes remplissait le cercle et un carré de neuf pièces avait été piqué au centre de l'étoile. La courtepointe était magnifique.

J'ai jeté un coup d'œil vers la femme d'âge moyen qui vendait les courtepointes et j'ai projeté mes sens pour déceler s'il s'agissait d'une sorcière. Je n'ai rien ressenti.

— Elle est wiccane? ai-je demandé à voix basse afin que seul Hunter m'entende.

Il a secoué la tête.

— C'est probablement un simple patron des Hollandais de Pennsylvanie. C'est joli, de toute façon.

— Magnifique.

Encore une fois, j'ai doucement effleuré le coton des doigts.

Puis, Hunter a sorti son portefeuille, a compté des billets dans la main de la dame, qui lui a souri et l'a remercié. Elle a pris la petite courtepointe, qui devait faire un peu moins d'un mètre et demi carré, et l'a emballée dans du papier de soie avant de la déposer dans un sac en papier brun.

Nous avons regagné la voiture de Hunter.

— C'est vraiment une belle courtepointe, ai-je dit. Je suis contente que tu l'aies achetée. Où la mettras-tu ?

Nous sommes grimpés à bord de sa voiture, et il s'est tourné vers moi pour me remettre le sac.

— C'est pour toi, a-t-il dit. Je l'ai achetée parce que je voulais que tu l'aies.

L'air autour de nous a crépité, et je me suis demandé si c'était dû à la magye, à l'attirance entre nous ou à quelque chose d'autre. J'ai pris le sac et j'ai glissé mes mains à l'intérieur pour sentir les plis légers de la courtepointe.

— Tu es certain?

Je savais que ni lui ni Sky n'avaient beaucoup d'argent. L'achat de la courtepointe avait probablement creusé un trou important dans son budget.

— Oui, a-t-il dit. Très certain.

— Merci, ai-je doucement dit.

Il a démarré le moteur, et nous sommes demeurés silencieux jusqu'à ce qu'il me dépose chez moi. Je suis sortie de la voiture, prise d'une incertitude encore plus grande. Il est sorti lui aussi et s'est avancé sur le trottoir pour m'embrasser dans un baiser doux et rapide. Puis, il a regagné la voiture de Sky et est parti sans même que je puisse lui dire au revoir.

# 5

# Lueur

17 mai 1970

Le printemps est finalement arrivé au pays de Galles. Ici, à Albertswyth, les collines affichent un nouveau vert éclatant. Les femmes du village sont agenouillées, occupées à jardiner. Clyda et moi faisons des randonnées sur les collines, parmi les rochers, et elle m'enseigne les coutumes locales de culture des herbes, les propriétés des pierres locales, de la terre, de l'eau et de l'air. Je suis ici depuis six mois maintenant, dans un de ces détours de la vie.

Depuis que j'ai découvert l'existence de Clyda Rockpel dans un des livres ensorcelés de Patrick, je me suis résolue à la trouver, à apprendre d'elle. Après deux semaines de camping sur son seuil où je me suis nourrie de pain et de fromage et où j'ai dormi couverte de mon manteau, elle m'a finalement parlé. À présent, je suis son élève et j'absorbe ses connaissances comme une éponge absorberait l'eau de l'océan.

Elle est grave, sombre et terrifiante parfois, et pourtant, la lueur de sa puissance, l'étendue de ses connaissances, sa force et sa ruse dans son travail avec les forces sombres me plongent dans une euphorie vertigineuse. Je veux savoir ce qu'elle sait, avoir le pouvoir de faire ce qu'elle fait, contrôler ce qu'elle peut contrôler. Je veux devenir elle.

— SB

Le mardi, Mary K. et moi avons encore passé la matinée dans ma chambre, à faire des retouches sur les murs et à peindre les boiseries. En après-midi, je l'ai convaincue de se joindre à Bree et moi pour faire le tour des boutiques. L'attrait d'un après-midi en notre compagnie l'avait emporté sur sa désapprobation au sujet de notre destination : Magye pratique, une boutique occulte située à Red Kill, à seize kilomètres au nord de notre ville.

— L'un des beaux côtés des vacances de Noël, a fait Bree pendant que nous roulions dans le centre-ville de Widow's Vale, est de voir les pauvres malchanceux qui, eux, doivent se rendre au travail.

— Ce sera notre sort un jour, lui ai-je fait remarquer en observant les gens entrer et sortir des boutiques de la rue principale.

J'ai gratté quelques mouchetures de peinture sur le dos de ma main et j'ai ajusté la direction d'une bouche d'air dans Breezy, la BMW de Bree.

— Pas moi, a dit Bree d'un ton enjoué. Je vais épouser un homme riche et être une femme qui se paie des déjeuners chaque jour.

— Beurk ! a protesté Mary K. depuis la banquette arrière.

Bree a éclaté de rire.

— Ce n'est pas assez politiquement correct pour toi ?

— Ne souhaites-tu pas accomplir davantage? a demandé Mary K. Tu peux faire tout ce que tu veux.

— Eh bien, je plaisantais, en quelque sorte, a dit Bree sans s'offusquer. Je veux dire, je n'ai pas encore découvert ma vocation. Mais ce ne serait pas si terrible d'être une femme au foyer.

— Bree, je t'en prie, ai-je dit en ressentant une pointe de notre ancienne camaraderie. Tu ne le supporterais pas plus de deux semaines. Puis, tu deviendrais folle et tu assassinerais quelqu'un à la hache.

Elle s'est mise à rire.

— Peut-être. Aucune de vous deux ne souhaite devenir une femme au foyer? C'est une noble profession, vous savez.

J'ai ronchonné. Je n'avais aucune idée précise de ce que je voulais faire de ma vie; j'avais toujours eu vaguement l'idée que mon métier serait lié aux mathématiques ou à la science, mais je savais à présent, sans aucun doute, que la majorité de ma vie serait axée sur la Wicca et mon étude de la magye. Tout le reste était optionnel.

— Non, a dit ma sœur. Je ne veux jamais me marier.

Quelque chose dans le ton de sa voix m'a amenée à me tourner sur le siège avant pour la regarder. Elle avait les traits tirés ; son visage paraissait presque hanté dans la lumière grise de l'hiver et ses yeux étaient tristes. J'ai jeté un regard du côté de Bree et j'ai été touchée d'y trouver une compréhension mutuelle.

— J'ai entendu dire que tu as plaqué Bakker, a dit Bree en regardant Mary K. par le rétroviseur. Bien fait pour toi. C'est un imbécile.

Mary K. n'a rien dit.

— Tu sais qui est mignon dans ta classe ? a poursuivi Bree. Le garçon de la famille Hales. Quel est son nom déjà ? Randy ?

— Rand, tout simplement, a répondu Mary K.

— Ouais, lui, a dit Bree. Il est adorable.

J'ai roulé des yeux. On pouvait faire confiance à Bree pour avoir repéré les beaux mecs parmi les garçons plus jeunes.

Mary K. a haussé les épaules, et Bree a décidé de ne pas insister. Puis, elle a garé Breezy juste devant Magye pratique, et nous sommes sorties dans l'air frais de décembre.

Mary K. a regardé la devanture de la boutique d'un air soupçonneux à peine déguisé. À l'instar de mes parents, elle désapprouvait mon engagement dans la Wicca, et ce, même si je l'avais persuadée d'assister à une fête qui s'était récemment tenue à la boutique et où elle s'était amusée.

— Détends-toi, ai-je dit en lui prenant le bras pour la tirer vers la boutique. Ton âme ne sera pas aspirée par des esprits si tu regardes des bougies.

— Et si le révérend Hotchkiss nous voyait ? a-t-elle maugréé en nommant le prêtre de notre église.

— Eh bien, il faudra lui demander ce qu'il fait dans une boutique wiccane, n'est-ce pas ? ai-je répondu avec un grand sourire.

À l'intérieur, j'ai relâché le bras de ma sœur et j'ai pris quelques instants pour m'orienter. La dernière fois que j'avais mis les pieds chez Magye pratique, c'était en compagnie de Hunter pour confronter David Redstone, le propriétaire, au sujet de son usage de la magye noire. L'expérience avait été profondément horrible, et être dans le magasin provoquait une vague de mauvais souvenirs : Hunter interrogeant David, David admettant sa culpabilité après qu'on lui avait arraché un aveu de force.

C'était douloureux d'associer ces souvenirs à cet endroit ; un endroit que j'avais commencé à considérer comme un refuge ; une boutique charmante, remplie d'odeurs, de livres de magye, d'huiles essentielles, de cristaux, d'herbes, de bougies et où la paix constante de la Wicca pénétrait chaque chose.

En levant les yeux, j'ai aperçu Alyce, dont le visage affichait toujours un doux chagrin. David lui était un ami très cher. Il lui avait donné la boutique, à elle, une sorcière de sang Brightendale, lorsqu'on lui avait arraché ses pouvoirs. C'était elle la propriétaire maintenant.

Elle s'est avancée vers moi, et nous nous sommes enlacées. J'étais plus grande qu'elle et je me sentais tout en os et en immaturité devant ses rondeurs de femme. Nous nous sommes regardées dans les yeux un instant sans avoir à se parler. Puis, j'ai reculé d'un pas pour inclure Bree et Mary K.

— Allô, Alyce, a dit Bree.

— Contente de te voir, Bree, a répondu Alyce.

— Tu te souviens de ma sœur, Mary K.? ai-je demandé.

— Tout à fait, a dit Alyce en lui adressant un sourire chaleureux. Celle qui aime tellement The Fianna.

The Fianna était un groupe de musique celtique que Mary K. et moi aimions beaucoup. Le neveu d'Alyce, Diarmuid, était musicien dans le groupe. Le seul moyen à ma disposition pour convaincre Mary K. d'assister à la fête donnée à la boutique avait été de lui brandir la promesse d'une prestation de The Fianna.

— Oui, a dit Mary K., gênée.

— Nous venons de recevoir une livraison de bijoux très intéressants, fabriqués par une femme de la Pennsylvanie, a dit Alyce en orientant Mary K. vers le présentoir vitré. Viens voir.

J'ai souri en voyant Mary K. s'intéresser aux bijoux. Bree s'est rendue dans l'allée présentant des nappes d'autel, me laissant libre d'errer dans la section où des bibliothèques s'élevaient jusqu'au plafond. Bientôt, Alyce est venue m'y rejoindre.

— Comment se porte Starlocket ? ai-je demandé.

Starlocket était l'ancienne assemblée de Selene Belltower. Depuis sa disparition, on avait demandé à Alyce de la diriger.

— Nous sommes en transition, a expliqué Alyce. Certaines personnes ont quitté l'assemblée, bien sûr — celles qui avaient été attirées par le côté sombre de Selene. Ceux qui restent tentent de guérir et de tourner la page. C'est très demandant, diriger une assemblée.

— Je suis certaine que tu es une meneuse merveilleuse, ai-je dit.

— Alyce ?

J'ai levé les yeux pour voir un homme approcher de nous, tenant une boîte de bougies noires dans les mains.

— Veux-tu que nous déballions tout le stock ou préfères-tu en garder une partie en arrière-boutique ? a-t-il demandé.

— Normalement, j'en déballe autant que ce que les tablettes peuvent en contenir, a répondu Alyce. Finn, viens que je te présente Morgan.

Finn semblait être dans la cinquantaine : grand, ni mince ni gros, mais d'apparence robuste. Il avait des cheveux blancs courts et épais, parsemés de touffes rousses. Ses yeux étaient noisette, sa peau était claire malgré quelques pâles taches de rousseur sur son nez et ses joues. Sans même en prendre conscience, j'ai projeté mes sens pour le lire rapidement. Sorcière de sang. Probablement un Leapvaughn, ai-je pensé. Les membres de ce clan avaient souvent les cheveux roux. Puis, j'ai décelé la surprise dans ses yeux et j'ai refermé mes sens, vaguement embarrassée, comme

si j'avais surpris quelqu'un vêtu uniquement de ses sous-vêtements.

— Hummm, a pensivement dit Finn
tout en me tendant sa main large. Enchanté
de faire ta connaissance, Morgan.

Il a lancé un drôle de regard à Alyce,
comme si elle lui présentait un individu
louche.

Alyce a souri.

— Morgan, je te présente Finn Foster.
Il me donne un coup de main dans la boutique, a-t-elle expliqué.

Pour Finn, elle a ajouté :

— Morgan est une cliente fidèle.

Elle ne lui a donné aucune autre explication, et en sentant les yeux de Finn sur
moi, j'ai davantage senti que je venais de
faire un faux pas.

— Avec qui étudies-tu ? a demandé
Finn.

— Hum, en ce moment, par moi-même,
beaucoup, et quelques fois avec Hunter
Niall.

Finn a cligné des yeux.

— L'investigateur ?

— Oui.

— Tu es Morgan Rowlands, a finalement dit Finn, comme s'il venait tout juste
d'établir le lien.

— Oui.

J'ai jeté un regard incertain du côté
d'Alyce, mais elle m'a adressé un sourire
rassurant.

Finn a hésité, comme s'il débattait inté-
rieurement s'il devait en dire plus, mais il
s'est contenté de sourire et de hocher la
tête.

— Enchanté de faire ta connaissance,
a-t-il dit. Au plaisir de te revoir bientôt.

Il a jeté un coup d'œil du côté d'Alyce
avant de se diriger de l'autre côté de la boutique avec sa boîte de bougies. Un instant
plus tard, j'ai entendu Bree lui demander
où elle pourrait trouver de l'huile de trèfle.
J'ai cherché Mary K. des yeux pour l'apercevoir tenant des boucles d'oreille en argent
devant un petit miroir.

— Qu'est-ce que ça voulait dire, tout
ça ? ai-je demandé à Alyce, qui a émis un
doux gloussement.

— J'ai bien peur que tu ne sois célèbre, a-t-elle dit. Je suis désolée si tu te sens comme un phoque de cirque, mais de nombreuses personnes ont déjà entendu parler de ton pouvoir, de ton héritage — sans oublier ce qui s'est passé avec Cal et Selene. Les gens sont curieux.

Beurk. J'ai remué d'inconfort.

Alyce est passée à côté de moi pour replacer quelques livres sur une tablette.

— Hunter t'a parlé de tes études? Du *tàth meànma brach*?

— Oui, ai-je répondu, étonnée par ce changement de sujet.

— Que penses-tu de cette idée?

Ses yeux bleu-violet clairs ont étudié les miens.

— Elle me paraît excitante, ai-je lentement dit. J'aimerais le faire. Qu'en penses-tu?

— Je pense que ça pourrait être une bonne idée, a-t-elle répondu d'un air pensif. Hunter a raison : tu dois en apprendre le plus possible, le plus rapidement possible. S'il s'agissait de n'importe quelle autre sorcière, je serais contre l'idée. C'est une expérience difficile, et je suis certaine que Hunter t'a dit que cela pouvait être dangereux. Mais tu es un cas d'exception. Bien entendu, la décision t'appartient. Mais tu devrais y réfléchir soigneusement.

— Accepterais-tu de le faire avec moi? lui ai-je demandé.

Elle a plongé son regard dans le mien. Je n'avais aucune idée de son âge (dans la cinquantaine, peut-être?), mais j'ai vu l'étendue de ses connaissances dans son regard. Ce qu'elle savait pourrait m'aider, et soudain, je désirais ses connaissances avec un appétit surprenant que j'ai tenté de camoufler.

— Je vais y penser, ma chère, a-t-elle doucement dit. Je vais en parler à Hunter, et nous pourrons prendre une décision.

— Merci, ai-je murmuré.

— Êtes-vous prêtes? a lancé Bree de l'autre bout de l'allée.

Finn avait déjà passé ses achats à la caisse : elle tenait à la main un petit sac vert aux poignés argentées.

— Oui, ai-je répondu. Où est Mary K.?

— Ici, a dit ma sœur en émergeant d'une autre allée.

— Voulais-tu acheter les boucles d'oreille que tu regardais ? ai-je demandé, mais elle a secoué la tête, balayant ses épaules de sa chevelure auburn lustrée.

Je me suis demandé si elle pensait que le fait d'acheter ces boucles d'oreille serait comme d'apporter de la sorcellerie à la maison et j'ai pris la résolution de tenter d'apaiser ses craintes à ce sujet. Peut-être que je pourrais la surprendre en les lui offrant à Noël.

Lorsque nous avons pris le chemin de la maison à bord de Breezy, nous étions en fin d'après-midi. J'étais silencieuse, réfléchissant à l'idée d'effectuer le *tàth meànma brach* avec Alyce.

— Pourquoi aimez-vous autant cette boutique ? a demandé Mary K. depuis la banquette arrière.

— Tu ne trouves pas qu'elle est géniale ? a demandé Bree. Même si je ne m'intéressais pas à la Wicca, j'aimerais tout de même les bougies, les bijoux, l'encens et tout ça.

— Je suppose.

Le ton de ma sœur s'était adouci, et je savais qu'elle était aux prises avec le conflit d'aimer quoi que ce soit qui était lié à la sorcellerie tout en demeurant authentique par rapport à sa religion et à nos parents. Elle a posé le regard au-delà de sa vitre, distante et retirée. Nous sommes demeurées silencieuses pendant plusieurs kilomètres, et j'ai observé le paysage de plus en plus obscur derrière ma vitre : les collines, les vieilles fermes — la neige collait sur tout. J'ai sursauté en réalisant que Bree avait emprunté la vieille route menant chez moi et que nous approchions du voisinage de Cal. Mon cœur s'est affolé quand nous nous sommes approchées de la grande maison de pierres qu'il avait partagée avec sa mère. Je ne m'étais pas rendue ici depuis la nuit où j'avais failli mourir dans le pavillon et, à ce souvenir, ma peau est devenue moite.

— Je suis désolée, a murmuré Bree en réalisant où nous étions.

J'ai avalé ma salive sans dire un mot. Ma main serrait fort la poignée de ma portière et ma respiration est devenue rapide et superficielle. Calme-toi, me suis-je intimé. Calme-toi. Ils sont partis. Ils ne sont pas dans les parages. Hunter est à leur recherche, il fait des présages chaque jour pour les trouver — sans résultat. Ils sont partis. Ils ne te feront aucun mal.

Alors que nous sommes passées devant la maison, mes yeux n'ont pas pu s'empêcher de la regarder. Elle semblait sombre, abandonnée, interdite. Je me suis souvenue du rez-de-chaussée avec sa grande cuisine et l'énorme salon avec foyer où Cal et moi nous étions embrassés sur un sofa. De la bibliothèque privée de Selene, cachée et ensorcelée, que j'avais trouvée et où j'avais découvert le Livre des ombres de Maeve. De la chambre de Cal qui occupait tout le grenier. De son lit bas et large où nous nous étions embrassés et touchés. Du pavillon où il m'avait enfermée et où il avait tenté de me brûler vive…

J'ai eu l'impression d'étouffer et d'être aspirée de nouveau et j'étais incapable de détourner les yeux. J'avais les yeux rivés à la maison quand j'ai aperçu une lueur, comme si quelqu'un était passé devant une fenêtre sombre en tenant une bougie. L'espace d'un bref instant, et la lueur était partie, mais j'étais convaincue de l'avoir vue. Mes yeux affolés se sont tournés vers Bree pour voir sa réaction, mais ses yeux à elle étaient tournés vers la route et ses mains étaient posées sur le volant en cuir. Sur la banquette arrière, Mary K. regardait par la vitre et sa tristesse rendait son visage plus jeune, plus arrondi.

— Est-ce que vous… ai-je commencé à demander avant de m'interrompre.

Étais-je certaine de ce que j'avais vu? Je pensais bien que oui. Mais pourquoi le mentionnerais-je? Cela bouleverserait et inquiéterait Mary K. Bree ne saurait pas quoi faire, elle non plus. Si seulement Hunter était ici, ai-je pensé, avant de grimacer en réalisant ce qui serait arrivé si Hunter avait vu la lueur : enquête, inquiétude, problème et peur.

L'avais-je réellement vue? La lueur d'une bougie dans une maison abandonnée, la nuit, l'espace d'un instant? J'ai posé ma tête contre la vitre froide de la voiture, le cœur serré. Est-ce que cette épreuve prendrait fin un jour? Pourrais-je un jour me détendre à nouveau?

— Avons-nous quoi? a demandé Bree en jetant un coup d'œil de mon côté.

— Rien, ai-je marmonné.

Cela devait être mon imagination. Cal et Selene étaient loin.

— Oubliez ça.

# 6

# Le lueg

À l'âge de vingt-sept ans, j'ai réussi la Grande épreuve. C'était il y a quatre jours, et ce n'est que maintenant que je suis capable de tenir un stylo et de m'asseoir pour écrire. Clyda avait jugé que j'étais prête, et j'étais si empressée de la subir que je n'ai pas écouté les gens qui m'ont prévenue de ne pas me lancer.

La Grande épreuve. Je me suis demandé comment la décrire et quand je trouve les mots, je ne souhaite que fondre en larmes. Vingt-sept ans est un jeune âge, et bien des gens ne sont jamais prêts. La majorité des gens qui la subissent le font quand ils sont plus âgés, et après une préparation ayant duré des années. Mais j'ai insisté : j'étais prête et, au final, Clyda a accepté.

L'épreuve est survenue au sommet de Windy Tor, au-delà des vieilles pierres laissées par les Druides. Sous moi, je pouvais entendre les vagues déferler sur les rochers, suivant un rythme intemporel. Il n'y avait aucune lune, et nous étions plongés dans une obscurité de fin du monde. À mes côtés se trouvaient Clyda et une autre sorcière galloise, Scott Mattox. J'étais nue, dévêtue, et nous avons formé le cercle et commencé le rituel. À minuit, Clyda a tendu le gobelet. Je l'ai fixé du regard en sachant que j'étais effrayée. Il contenait le Vin des ombres, et j'ignorais où elle l'avait trouvé. Si je réussissais la Grande épreuve, je pourrais vivre. Si je n'y arrivais pas, ce vin causerait ma mort. J'ai saisi le gobelet d'une main tremblante et j'en ai bu le contenu.

Clyda et Scott se sont assis tout près : ils restaient là pour m'empêcher de tomber de la falaise. Je me suis assise, les lèvres engourdies, tout en murmurant tous les sortilèges de pouvoir et de force que je connaissais. C'est alors que les premiers picotements de douleur semblables aux piqûres d'une aiguille se sont manifestés au bout de mes doigts, et j'ai crié.

La nuit a été longue, très longue.

Et pourtant, me voilà, vivante : j'ai survécu à l'épreuve. Je suis épuisée par le jeûne, les vomissements, par une sensation de malaise aiguë dans mon estomac qui m'amène à me demander si on m'a donné du verre à manger. Ce matin, quand j'ai aperçu mon reflet dans le miroir, j'ai hurlé devant la femme grandement vieillie, aux cheveux ternes et aux yeux creux que me renvoyait l'image. Clyda m'a dit de ne pas m'inquiéter : ma beauté reviendra avec ma force. Comment peut-elle le comprendre ?

Elle n'a jamais été belle, elle ne peut donc pas comprendre comment on se sent quand on perd cette beauté.

Pourtant, aussi creuse que je me sente, tel un arbre frappé par la foudre, je suis capable de ressentir la différence. J'étais forte auparavant, mais à présent, je suis une force de la nature. Ma force est semblable au vent, à la pluie, à la lave. Je suis en harmonie avec l'Univers, mon coeur suit ses battements profonds et primordiaux. Je suis faite de magye, je marche dans la magye et je peux semer la mort ou la vie en un claquement de doigts.

La Grande épreuve en valait-elle la peine ? La maladie, l'agonie perçante, les mains griffées et déchirées, les trous dans mes cuisses, creusés alors que je hurlais de terreur et de désespoir et que je tentais de ressentir quoi que ce soit de normal, de reconnaissable, même s'il s'agissait d'une douleur physique ? Mon cerveau a été ouvert et exposé, mon corps a été retourné dans tous les sens.

Pourtant, au milieu de cette destruction se trouve la résurrection ; dans l'agonie se trouve la joie ; dans la terreur, l'espoir. Et maintenant, j'ai suivi ce parcours terrible et mortel et j'ai survécu. Et je serai telle une Déesse, suivie par de simples mortels. Je fonderai une dynastie de sorcières qui ébahira le monde.

SB

— Alors, si ta mère rentre à la maison, que devrais-je faire ? a demandé Hunter. Je veux dire, est-ce qu'elle va me frapper avec une casserole ?

Je lui ai adressé un grand sourire.

— Seulement si elle est de mauvaise humeur.

Nous étions mercredi, mes parents étaient au travail, Mary K. était à l'étage, et Hunter et moi nous préparions à étudier.

— De toute façon, je t'avais suggéré d'aller chez toi, lui ai-je rappelé.

— Sky et Raven sont chez moi, a-t-il dit. J'ai présumé qu'elles désiraient un peu d'intimité.

— Vraiment ? ai-je demandé, inté-
ressée. Leur relation devient sérieuse ?

— Je ne suis pas venu ici pour potiner,
a-t-il dit d'un ton guindé qui m'a donné
envie de le frapper.

Je réfléchissais à une réplique intelli-
gente pendant qu'il survolait la cuisine
d'un regard agité.

— Allons dans ta chambre, a-t-il dit.

J'ai cligné des yeux.

— Euh, ai-je commencé.

Le deuxième étage était *vraiment*
interdit aux garçons chez moi.

— Tu m'as dit que tu t'étais fabriqué un
autel, a-t-il dit. J'aimerais le voir. Ta chambre
est l'endroit où tu pratiques majoritaire-
ment ta magye, non ?

Il s'est levé en glissant une main dans
ses cheveux pâles, et j'ai tenté de retrouver
mes esprits.

— Hum.

Cal s'était retrouvé dans ma chambre
une seule fois, l'espace d'une minute, après
que Bree m'a presque cassé le nez durant
une partie de volley-ball à l'école. Pourtant,

maman s'était montrée agitée, malgré le fait que j'étais totalement invalide et loin d'avoir l'esprit à la romance.

— Allez, Morgan, a-t-il tenté de m'amadouer. Nous travaillons. Je vais m'efforcer de ne pas me jeter sur toi, si c'est de ça que tu as peur.

Mon visage brûlait d'embarras, et je me suis demandé ce qu'il ferait si je lui lançais un feu de sorcière. J'avais presque envie de tenter l'expérience.

— Désolé, a-t-il dit. Recommençons à zéro. Je t'en prie, puis-je voir l'autel que tu as fabriqué dans ta chambre ? Si tes parents rentrent à la maison sans crier gare, je jetterai un sortilège rapide pour qu'ils me tournent le dos pendant que je fuis les lieux, OK ? Je ne vais pas te causer d'ennuis.

— C'est seulement que nous sommes dans la maison de mes parents, ai-je dit avec raideur en me levant et en ouvrant la marche vers l'entrée. J'essaie de respecter leurs règles dans la mesure du possible. Mais allons-y rapidement. J'aimerais que tu voies mon autel.

J'ai gravi l'escalier d'un pas lourd, vivement consciente qu'il me suivait à pas légers.

J'étais reconnaissante du fait que ma chambre n'était plus rose et rayée. Des stores couleur des algues avaient remplacé mes rideaux à fanfreluches et s'agençaient à mes nouveaux murs couleur du café au lait. J'avais retiré le vieux tapis crème pour le remplacer par une simple carpette en jute. Même si j'aimais ma nouvelle chambre, je me suis nerveusement tenue près de mon bureau pendant que Hunter jetait un regard à la ronde pour tout absorber. Je me suis dirigée vers le placard pour en ressortir la vieille malle m'ayant servie durant mes jours à la colonie de vacances et qui faisait maintenant office d'autel. Je l'avais couverte d'une toile en lin violette, de bougies et de quatre objets spéciaux qui représentaient les quatre éléments.

Mon lit jumeau a semblé prendre des proportions mythiques pour remplir la pièce, et j'ai rougi furieusement en tentant d'effacer de mon esprit l'image de Hunter sur mon lit.

Il a observé mon autel.

— C'est plutôt rudimentaire, ai-je marmonné. C'est difficile, car je dois le cacher.

Il a hoché la tête avant de lever les yeux
vers moi.

— C'est bien. Comme il faut. Parfaitement approprié. Je suis content que tu en
aies fabriqué un.

Sa voix était calme, rassurante. J'ai
repoussé l'autel dans le placard avant de le
couvrir ingénieusement de mon peignoir.
Devrions-nous retourner en bas ? me suis-je
demandé, mais quand je suis ressortie du
placard, Hunter était innocemment assis
sur mon lit et il glissait ses doigts sur le fini
lisse de mon édredon en duvet. Sans crier
gare, j'ai ressenti l'envie de me jeter sur lui,
de me serrer contre lui sur le matelas, de
l'embrasser, de me montrer agressive physiquement, ce que je n'avais jamais été avec
Cal. Et bien sûr, dès que cette pensée s'est
manifestée à mon esprit, j'ai eu un mouvement de recul, car je savais très bien à quel
point Hunter pouvait lire chacune de mes
émotions. Oh la la.

Mais son visage est demeuré neutre, et il m'a demandé :

— As-tu mémorisé le nom véritable des choses ?

— En quelque sorte, ai-je dit en me sentant coupable.

Je n'avais pas beaucoup étudié depuis l'incident avec David, mais auparavant, j'avais commencé les exercices de mémorisation. J'ai tiré la chaise de mon bureau pour m'y asseoir et c'est à ce moment que Mary K. a légèrement cogné sur la porte avant d'entrer, sans attendre que je ne l'invite. Elle s'est complètement figée quand elle a aperçu Hunter assis sur mon lit, sa bouche béate formant un « O » presque comique. Ses yeux sont passés de lui à moi, encore et encore, et même Hunter n'a pu s'empêcher de sourire devant son expression, ce qui éclairé son visage normalement sérieux pour lui donner un air plus jeune et plus léger.

— Nous devrons trouver un verrou pour cette porte, a-t-il dit d'un ton joyeux alors que je voulais mourir.

Ma sœur a haussé les sourcils, et je pouvais lire la fascination sur son visage.

— Je suis désolée, a dit Mary K. Je voulais seulement te parler du dîner, mais… je reviendrai plus tard.

— Non, attends, ai-je commencé à dire, mais elle avait déjà passé la porte pour la refermer dans un faible claquement.

J'ai posé mon regard sur Hunter pour constater qu'il affichait toujours un grand sourire.

— Je me sens comme un renard dans une maison pleine de bonnes filles catholiques, a-t-il dit d'un air content. Cela fait des merveilles pour mon ego.

— Oh, comme si ton ego avait besoin d'aide, ai-je rétorqué en souhaitant immédiatement avoir tenu ma langue.

Mais Hunter n'a pas paru offusqué et s'est contenté de dire :

— Qu'as-tu étudié ?

Des fichues longues listes, ai-je voulu dire. J'ai pris une grande inspiration et j'ai dit :

— Hum, les fleurs sauvages et les herbes de cette zone géographique, celles qui poussent au printemps, en été et en automne et qui sont dormantes en hiver. Celles qui sont empoisonnées. Les plantes qui peuvent contrer les sorts, qu'ils soient bons ou maléfiques. Les plantes qui neutralisent l'énergie.

J'en ai nommé dix ou onze, en commençant par *maroc dath* — la pomme de mai — avant de m'interrompre en espérant qu'il soit suffisamment impressionné. Le simple fait d'apprendre le nom latin ou anglais de centaines de plantes différentes aurait été un exploit, mais j'avais aussi mémorisé leurs noms véritables, leurs noms magyques, me permettant de les utiliser dans des sortilèges, de les trouver, de rehausser ou de réduire leurs propriétés.

Cependant, Hunter semblait peu impressionné. Ses yeux verts étaient impassibles.

— Et dans quelles conditions utiliserais-tu la *maroc dath* dans un sortilège ?

J'ai hésité, car le ton de sa voix m'amenait à réfléchir soigneusement à sa question. *Maroc dath, maroc dath* — pour moi, ce nom signifiait pomme de mai, une plante sauvage aux fleurs blanches qui fleurissait avant le dernier gel de l'année… Elle servait à clarifier les potions, à concocter des onguents de guérison, à…

Alors, j'ai compris. *Maroc dath* ne signifiait pas pomme de mai.

— Je voulais dire *maroc dant*, ai-je dit avec dignité. *Maroc dant*. Pomme de mai.

J'ai tenté de me rappeler si *maroc dath* désignait quelque chose d'autre.

— Ainsi, tu n'étudies pas de sortilèges dans lesquels tu utiliserais du sang menstruel, a dit Hunter, les yeux rivés sur moi. *Maroc dath*. Sang menstruel, normalement celui d'une vierge, qu'on utilise principalement pour les rituels sombres et occasionnellement dans des sortilèges de fertilité. Ce n'est pas ce que tu voulais dire ?

OK, à présent, j'aurais voulu que le sol s'ouvre sous mes pieds. J'ai fermé les yeux.

— Non, ai-je dit d'une voix faible. Ce n'est pas ce que je voulais dire.

Quand j'ai rouvert les yeux, il secouait la tête.

— Que serait-il arrivé si tu avais fait cette erreur dans un sortilège ? a-t-il demandé de façon rhétorique. Que se passe-t-il si tu ne sais pas tout ça et fais donc des erreurs dans tes sortilèges?

Mon premier instinct était de lui jeter un oreiller. Puis, je me suis souvenue qu'il essayait de m'aider à apprendre afin de me protéger. Il tentait de m'aider. Je me suis souvenue lui avoir dit que je lui faisais confiance, et c'était la vérité.

Ma prochaine respiration a été accompagnée de la reconnaissance de quelque chose; d'une chose qui n'était pas liée à la conversation que j'avais avec Hunter. J'ai écarquillé les yeux avant de les poser sur Hunter.

— Tu le sens? ai-je murmuré.

Il a légèrement hoché la tête pendant que son corps se crispait et s'immobilisait.

Avec prudence, je me suis approchée de lui, et il avancé la main pour saisir la mienne. Quelqu'un effectuait un présage à mon sujet. Quelqu'un essayait de me trouver. Je me suis assise près de Hunter sur mon lit, à peine consciente de la chaleur de sa cuisse contre la mienne. Comme si nous ne formions qu'une personne, nous avons fermé les yeux pour projeter nos sens, dissoudre les barrières entre nous et le monde, aller au-devant de cet espion invisible pendant qu'il ou elle allait à notre rencontre.

J'ai commencé à deviner la présence d'une personne, à voir la forme d'une personne, un modèle d'énergie, et un instant plus tard, la présence était partie, éteinte comme une bougie que l'on souffle, sans aucune trace de fumée pour me permettre de la suivre. J'ai ouvert les yeux.

— Intéressant, a marmonné Hunter. As-tu été capable de l'identifier ?

J'ai secoué la tête avant de relâcher sa main. Il a baissé le regard vers nos mains, comme s'il n'avait pas remarqué qu'elles avaient été jointes.

— Je dois te dire quelque chose, ai-je dit avant de lui raconter le moment où je croyais avoir vu une bougie devant une fenêtre de la maison de Cal, la veille.

— Pourquoi ne me l'as-tu pas dit immédiatement ? a-t-il demandé, l'air furieux.

— C'est arrivé hier soir, ai-je commencé pour me défendre.

Puis, je me suis interrompue. Il avait raison, bien entendu.

— Je… je ne savais pas quoi faire, ai-je expliqué, mal à l'aise. J'ai pensé que je faisais un grand cas de rien du tout, que j'étais seulement paranoïaque.

Je me suis levée pour m'éloigner du lit et j'ai repoussé mes cheveux derrière mes épaules.

— Morgan, bien sûr que tu aurais dû me le dire, a dit Hunter, la mâchoire serrée. À moins, bien sûr, que tu avais une bonne raison de me tenir dans l'ombre.

Qu'essayait-il de dire?

— Oui, ai-je lancé d'un ton sarcastique. C'est cela. Je suis de connivence avec Cal et Selene et je ne voulais pas t'en parler parce que le jour où je voudrai *m'offrir* aux ténèbres, je ne *voudrais* pas que tu le saches.

On aurait dit que j'avais donné une claque à Hunter. Il s'est levé rapidement pour se tenir à quelques centimètres de moi. Il se dressait de façon imposante devant moi, des taches rouges provoquées par la colère apparaissant sur ses joues pâles. Ses mains ont agrippé mes épaules, et j'ai écarquillé les yeux. Je me suis débattue et j'ai frappé ses mains pour qu'il me lâche, et nous sommes demeurés les yeux rivés l'un à l'autre.

— Ne plaisante plus jamais à ce sujet, a-t-il dit à voix basse. Ce n'est pas amusant. Comment peux-tu dire une telle chose après avoir été témoin de ce qui est arrivé à David Redstone?

J'ai haleté, me rappelant les événements et, à ma surprise, de chaudes larmes ont coulé de mes yeux. Après avoir vu cette réalité, dire une telle chose à Hunter *était* stupide et épouvantable. À quoi avais-je pensé?

Hunter s'est délibérément éloigné de moi avant de glisser une main dans ses cheveux. J'ai vu un muscle se convulser dans sa mâchoire et je savais qu'il s'efforçait de contrôler ses émotions.

— Je ne me mets jamais en colère, a-t-il marmonné sans me regarder. Mon travail, ma vie sont axés sur le calme, l'objectivité, la rationalité.

Il a alors levé les yeux; des yeux du vert de la mer, froids, clairs et magnifiques, et je me suis sentie appelée par eux. Le feu de ma colère s'est apaisé.

— Qu'est-ce qui m'agace autant en toi ? Pourquoi m'atteins-tu de la sorte ?

Il a secoué la tête.

— Nous nous prenons parfois à rebrousse-poil, ai-je maladroitement dit en m'affaissant à nouveau sur la chaise de mon bureau.

— Tu crois que c'est ça ? a-t-il demandé de façon énigmatique.

Il s'est rassis sur mon lit, et je n'avais aucune idée comment lui répondre.

— OK, a-t-il dit. Revenons à la bougie. Je pense que tu as vu quelque chose. La maison de Selene a été ensorcelée dans tous les sens à l'aide de sortilèges d'ombrage, de confusion, d'obstacles — tout le bataclan. Un membre du Conseil m'a accompagné après l'incendie et nous avons travaillé pendant des heures afin de fermer la maison et d'éliminer son énergie négative. De toute évidence, ce n'était pas suffisant.

— Tu penses que Cal ou Selene sont de retour à l'intérieur ? ai-je demandé.

Était-ce Cal que j'avais aperçu par la fenêtre? Cal était-il si près?

— Je ne sais pas. Je ne vois pas comment ils auraient pu entrer après tout notre travail, mais je ne peux pas ignorer cette possibilité. Je vais devoir faire des vérifications.

Bien entendu. Il était un investigateur. Je réalisais à présent que je n'avais pas voulu lui en parler au cas où *ce serait* Cal. Malgré tout ce que Cal avait fait, je ne voulais pas que Hunter le recherche. Une image de David Redstone, sanglotant et se contorsionnant à mesure que son pouvoir le quittait, a surgi dans mon esprit. Je ne pouvais supporter l'idée de voir Cal souffrir du même tourment.

Le visage de Hunter est devenu grave et immobile.

— Écoute, a-t-il dit en se levant avant de fouiller dans son sac à dos. Effectuons un présage ensemble en unissant nos énergies. Voyons ce qui arrivera.

Il a sorti une boule de soie pourpre de son sac à dos et l'a déballée pour dévoiler une large pierre, sombre et quelque peu plate.

— C'était le lueg de mon père, a-t-il dit d'une voix neutre. As-tu déjà fait un présage à l'aide d'une pierre ?

J'ai secoué la tête.

— Seulement avec du feu.

— Les pierres sont aussi fiables que le feu, a-t-il dit en s'asseyant en tailleur sur le sol. Il est plus difficile de travailler avec le feu, mais il offre plus d'information. Viens t'asseoir.

Je me suis assise devant lui, genoux contre genoux, comme si nous nous apprêtions à effectuer un *tàth meànma*. Je me suis penchée vers l'avant pour regarder la surface plate et polie de la pierre et en ressentant l'excitation qui accompagnait toute nouvelle expérience avec la Wicca. Mes cheveux sont tombés devant et ont effleuré la pierre. Rapidement, je les ai ramassés sur ma nuque pour les tresser d'une main d'experte. Je n'ai pas pris la peine d'attacher le bout : j'ai seulement laissé la tresse tomber dans mon dos.

— De nos jours, peu de filles ont encore les cheveux longs, a fait Hunter d'un air absent. Elles semblent toutes les avoir courts et dégradés...

Il a fait des gestes puisqu'il semblait incapable de trouver le vocabulaire pour décrire les coupes modernes.

— Je sais, ai-je dit. Je songe à les faire couper parfois. Mais je déteste avoir à penser à les coiffer. De cette façon, je n'y pense jamais.

— Ils sont magnifiques, a dit Hunter. Ne les fais pas couper.

Puis, il a cligné des yeux avant de retrouver une attitude professionnelle pendant que, de mon côté, j'essayais encore une fois de ne pas perdre pied dans nos interactions en dents de scie.

— OK. C'est la même technique que pour les présages avec le feu. Tu t'ouvres au monde, tu acceptes les connaissances que l'Univers veut bien t'offrir et tu essaies de ne pas réfléchir. Tu dois te contenter d'être, comme avec le feu.

— Ça marche, ai-je dit pendant que je digérais toujours le fait que Hunter aimait mes cheveux.

— Bien. Nous sommes à la recherche de Cal ou de Selene, a dit Hunter d'une voix douce et éteinte.

Nous nous sommes penchés l'un vers l'autre : nos têtes se frôlaient et nos doigts se touchaient légèrement sur le lueg. On aurait dit que je plongeais les yeux dans une piscine noire, au milieu des bois, ai-je pensé. Comme si je regardais au fond d'un puits. À mesure que ma respiration changeait et ralentissait et que ma conscience s'ouvrait doucement vers l'espace qui m'entourait, le lueg a commencé à prendre la forme d'un trou dans l'Univers, d'une ouverture sur des merveilles, des réponses et des possibilités incompréhensibles.

Je ne pouvais plus rien sentir physiquement : j'étais suspendue dans le temps et dans l'espace et j'existais uniquement en raison de mes pensées et de mon énergie. J'ai ressenti la force de vie de Hunter près de la mienne ; sa chaleur, sa présence, son intelligence, et rien ne me faisait tressaillir. Tout allait bien.

Sur la face de la pierre, j'ai commencé à déceler les volutes d'une brume grise, comme des nuages striés, et j'ai laissé tomber toutes mes attentes pour me contenter de regarder simplement ce qui arriverait. On aurait dit que je regardais une vidéo ou une image en mouvement. J'ai vu une personne avancer vers moi comme si je la regardais par une caméra vidéo. Il s'agissait d'un homme d'âge moyen, un bel homme, et il semblait à la fois surpris, alarmé et profondément curieux. Je l'avais déjà vu, mais je ne pouvais me souvenir où.

— Déesse, a marmonné Hunter.

Son souffle était soudain vif et rapide. J'ai senti ma conscience se raviver.

— Gìomanach, a doucement dit l'homme.

Son visage était ridé, ses cheveux étaient gris et ses yeux étaient bruns. Mais je pouvais voir les traits de Hunter dans la forme de sa mâchoire, l'angle de ses joues.

— Papa, a dit Hunter d'une voix étranglée.

J'ai retenu mon souffle. Hunter n'avait pas vu ses parents depuis dix ans, et bien que nous ayons parlé de la possibilité qu'il se mette à leur recherche, selon ce que je savais, il n'avait rien fait encore. Que se passait-il?

— Gìomanach, a redit l'homme. Tu es un homme. Mon fils…

Il a détourné le regard. Derrière lui, je pouvais à peine deviner une maison, peinte blanche. J'ai entendu le cri d'une mouette et je me suis demandé où s'était caché le père de Hunter pendant tout ce temps, où il se trouvait maintenant.

— Papa, a dit Hunter.

J'ai ressenti ses émotions tendues et j'en ai presque eu mal.

— Linden…

— Je sais, a dit l'homme en paraissant plus vieux et plus triste. Je sais. Beck nous a appris que ton frère est mort. Ce n'était pas ta faute. C'était son propre destin. Écoute, mon fils, ta mère…

Puis, l'image s'est transformée, et une présence noire a traversé la surface du lueg.

On aurait dit qu'un nuage, une vapeur d'un noir pourpre, avait déferlé sur le lueg, et Hunter et moi avons regardé, silencieux, la vague sombre se concentrer pour tacher le visage de son père, la fenêtre blanchie à la chaux.

En sursaut, Hunter s'est redressé et a rouvert les yeux pour les poser sur moi. Et je l'ai regardé, son visage pâle, en revenant lentement à la réalité.

Mes tempes étaient moites et mes mains tremblaient. J'ai frotté la paume de mes mains contre mon pantalon de velours côtelé et j'ai tenté d'avaler ma salive sans y arriver. Je savais que j'avais aperçu la vague sombre dans la pierre — la vague sombre qui avait anéanti mes ancêtres et presque tous les membres de mon assemblée ancestrale il y avait près de vingt ans de cela. La vague sombre que nous croyions liée à Selene d'une façon ou d'une autre.

Hunter a brisé le silence.

— Tu penses que la vague sombre vient de prendre mon père ? a-t-il demandé d'une voix rauque.

— Non! ai-je lancé avec force.

Il paraissait tellement perdu. Sans y réfléchir, je me suis agenouillée et je l'ai pris dans mes bras en serrant sa tête contre ma poitrine.

— Je suis presque certaine que non. On aurait dit qu'elle est passée devant la pierre, entre lui et nous. Je n'arrive pas à y croire, Hunter. C'était ton père. Il est vivant!

— Oui, a dit Hunter. Je crois bien que oui.

Il a marqué une pause avant de poursuivre.

— Je me demande ce qu'il essayait de me dire au sujet de maman.

Je suis demeurée silencieuse, incapable de trouver des mots réconfortants.

— Je dois en parler au Conseil, a-t-il marmonné contre mon chemisier.

Après un certain moment, il s'est légèrement soustrait à mon étreinte avant de repousser doucement les cheveux humides qui étaient tombés devant mon visage. J'ai plongé mon regard dans ses yeux, mais je ne pouvais y lire aucune émotion. Les émotions de Cal avaient toujours paru si transparentes : désir, admiration, envie légère de flirter. Hunter demeurait en grande partie illisible pour moi.

Puis, j'ai pensé, et puis zut! Et avant que nous puissions réaliser quoi que ce soit, je me suis penchée, j'ai posé les mains sur ses épaules et j'ai écrasé mes lèvres contre les siennes tout en gardant les yeux ouverts. Dans les siens, j'ai vu un éclair de surprise, puis le désir s'embraser, et il a alors fermé les yeux avant de me tirer contre lui sur le sol. J'étais couchée sur lui, sa poitrine contre la mienne, nos jambes emmêlées.

J'ignore pendant combien de temps nous sommes restés couchés sur le sol dur et le tapis de jute inconfortable, à nous embrasser encore et encore, mais enfin, j'ai entendu un cognement furtif à ma porte et la voix douce de Mary K. qui m'annonçait que la voiture de maman venait de se garer dans la cour.

Rouge d'excitation, le souffle dru, j'ai trottiné vers le rez-de-chaussée pour aider maman à rentrer les sacs d'emplettes dans la maison, et dix minutes plus tard, quand je suis retournée dans ma chambre, Hunter était parti. Et j'ignore comment il avait réussi à quitter la maison sans être aperçu de quiconque.

# 7

# Un cercle de trois

8 novembre 1973

Clyda s'est à nouveau évanouie hier. Je l'ai trouvée couchée au bas de l'escalier. C'est la troisième fois en deux semaines. Ni elle ni moi n'en avons parlé, mais la réalité est qu'elle est âgée. Elle n'a pas bien pris soin d'elle, elle a travaillé avec trop de magye sans se donner assez de limites et elle a puisé trop librement dans les forces sombres.

Voilà une erreur que je ne fais pas. Je fais partie de Turneval, et oui, je fais appel aux ténèbres, mais jamais sans me protéger. Jamais sans prendre de précautions. Je ne m'abreuve pas à cette marmite sans m'assurer qu'elle sera remplie à nouveau.

De toute façon, la santé de Clyda lui appartient. Elle ne me demande pas de prendre soin d'elle et ne le souhaite pas non plus, et désormais, j'ai de moins en moins besoin d'elle dans mes études. Depuis la Grande épreuve, je peux tout apprendre avec aisance. Bien entendu, la force et la faiblesse de la Wicca résident dans le fait qu'il y en a toujours plus à apprendre.

Je viens de relire ce passage et je n'arrive pas à croire que j'ai jacassé au sujet des ennuis de santé d'une vieille dame alors que la nuit dernière, ma vie s'est transformée à nouveau. Clyda m'a enfin présentée à certains membres de son assemblée, Amyranth. Même à présent, j'ai la chair de poule simplement en écrivant ce nom. Je ne mentirai pas : ils me terrifient par leur réputation, par leur seule existence. En même temps, je suis très attirée par eux et leur mission. Je n'ai aucun doute : mon destin est de faire partie de leur groupe. Depuis ma naissance, je devais me joindre Amyranth, et le nier serait me mentir. Oh, je dois y aller : Clyda m'appelle.

— SB

Il n'y avait que quatre voitures dans le terrain de stationnement de l'église Ste-Mary quand j'y ai déposé Mary K. Trente ans plus tôt, les messes matinales de semaine devaient être plus courues, mais de nos jours, il me semblait incroyable que le révérend Hotchkiss prenne la peine d'en tenir.

— Tu es certaine de vouloir y aller ? ai-je demandé à Mary K. Ne préférerais-tu pas simplement aller prendre un café ?

Ma sœur a secoué la tête, mais n'a pas fait de mouvement pour sortir de la voiture.

— Que se passe-t-il, Mary K. ? ai-je demandé. Tu sembles si malheureuse ces jours-ci. Est-ce en raison de Bakker ?

Encore une fois, elle a secoué la tête en regardant par la vitre.

— Pas seulement Bakker, a-t-elle finalement admis. Tous les gars. Je veux dire, regarde ce qui est arrivé entre Cal et toi. Et regarde Bree et tous ses mecs-jouets. Les gars sont seulement…

— Des perdants ? ai-je suggéré. Des pauvres types ? Des imbéciles ?

Elle n'a pas souri.

— Je ne comprends pas, a-t-elle fait. C'est seulement que… J'ai l'impression que je ne voudrai plus jamais sortir avec un gars. Je ne veux plus être vulnérable. Et je déteste ça. Je ne veux pas passer toute ma vie seule.

J'ai refermé la bouche avant de lui dire quelque chose de stupide comme : « Tu as seulement quatorze ans. Ne t'inquiète pas à ce sujet. »

Je lui ai plutôt dit :

— Je comprends comment tu te sens.

Elle m'a jeté un regard troublé, et j'ai hoché la tête.

— Je me sens exactement comme toi, parfois. Je veux dire, Cal était mon premier petit ami, et tu vois l'erreur que j'ai faite. Après cela, comment puis-je faire confiance à un autre garçon?

— Tu peux avoir confiance en Hunter, a-t-elle dit. Il est un bon gars.

— Je pense que oui. Mais ensuite, je me rappelle que je pensais que Cal était un bon gars, lui aussi, ai-je dit en grimaçant. Sais-tu ce qui est vraiment tordu?

— Quoi?

— Je m'ennuie de Cal, ai-je admis. J'avais l'impression de le connaître, de le comprendre. Aujourd'hui, je sais qu'il me mentait, qu'il m'utilisait, qu'il me piégeait. Mais je ne me sentais pas comme ça à ce moment-là, alors je ne m'en souviens pas de cette façon. Je suis attirée vers Hunter, très attirée vers lui, mais j'ai l'impression de ne pas le connaître et que je ne le connaîtrai jamais.

Nous sommes demeurées assises à bord de Das Boot, déprimées. Plutôt que de lui remonter le moral, j'avais brisé ma propre bonne humeur.

— Je suis désolée, ai-je dit. Je n'avais pas l'intention de t'embêter avec mes problèmes.

— Tu veux venir à la messe avec moi? m'a demandé Mary K. avec une pointe d'humour.

— Non, ai-je répondu avec un petit rire. Tu veux venir chez Magye pratique avec moi?

— Non. Bon, je ferais mieux d'y aller. Je rentrerai à pied par la suite. Merci de m'avoir reconduite.

— Bien sûr.

— Et merci de m'avoir parlé aussi.

Elle m'a adressé un doux sourire.

— Tu es une bonne sœur.

— Toi aussi, ai-je répondu.

Je l'aimais si fort. Elle est sortie de la voiture et a gravi les marches de l'église alors que j'enfonçais la pédale d'accélération pour guider Das Boot vers le nord, en direction de Red Kill et de Magye pratique.

Je m'étais rendue chez Magye pratique à la recherche de cadeaux de Noël, mais une fois sur place, j'ai réalisé que je n'étais pas d'humeur à faire des emplettes. Il me reste du temps, me suis-je dit. J'allais acheter les boucles d'oreille en argent pour Mary K., ainsi, je pourrais rayer ma famille immédiate de ma liste. Ne restaient que ma tante Eileen et sa petite amie, Paula, ma tante Margaret, son conjoint et ses enfants, puis Robbie. Ensuite, je plongeais dans une zone grise. Devrais-je donner un présent à Hunter ? Cela me semblait presque trop intime pour la relation que nous avions. Mais par ailleurs, il m'avait acheté une magnifique courtepointe à motif géométrique. Et qu'en était-il de Bree ? Échangerions-nous des cadeaux cette année ou non ? J'ai poussé un soupir. Pourquoi les choses devaient-elles être si compliquées ?

Une voix réconfortante a interrompu mes pensées.

— Tu as l'air de quelqu'un qui a besoin de ne plus penser à ses problèmes. Viens voir mon nouvel appartement, m'a suggéré Alyce.

Après le départ de David, elle avait emménagée dans l'un des appartements situés au-dessus de la boutique ; celui où la tante de David, Rosaline, avait habité. David avait hérité de la boutique — et des dettes considérables de Rosaline — après sa récente mort. Sa tentative de se sortir des dettes était ce qui l'avait amené à faire une expérience désastreuse de la magye noire. À présent qu'Alyce était propriétaire de Magye pratique, elle remboursait la dette de Rosaline d'après un calendrier à long terme.

Alyce a indiqué à Finn où nous serions et nous sommes sorties par la porte avant.

— Puisque je dirige la boutique, c'était logique d'habiter tout près, et j'économise sur le loyer, a expliqué Alyce.

À l'extérieur se trouvaient trois autres portes alignées à la droite de l'entrée aux portes en verre de la boutique. Alyce a déverrouillé la porte du centre, et nous avons gravi les marches en bois d'un escalier étroit et raide.

Au haut de l'escalier se trouvaient deux petits appartements étroits. Alyce m'a fait entrer par la porte à gauche. Le salon était petit et vide, mais fraîchement peint de la couleur de la crème. Sky Eventide était assise dans un fauteuil au style étonnamment moderne.

— Hé, lui ai-je dit.

Je ne l'avais pas revue depuis le cercle du samedi.

— Allô, a-t-elle répondu en étudiant mon visage.

Je me suis demandé si Hunter lui avait parlé de notre vision de son père et de la vague sombre.

— Sky et moi travaillons ensemble, a expliqué Alyce en pénétrant dans la minuscule cuisine sans fenêtre pour concocter un thé.

Je me suis assise sur un grand coussin posé sur le sol.

— Quand je t'ai vue dans la boutique aujourd'hui, j'ai pensé que nous pourrions former un cercle toutes les trois, a poursuivi Alyce en sortant des tasses et des soucoupes. Cela t'aidera à te recentrer, Morgan. De plus, Sky et toi êtes confrontées à des questions sans réponses, et un cercle pourrait vous aider.

J'ai songé aux deux cercles dont j'avais fait partie récemment durant lesquels mes pouvoirs avaient été inexistants et j'appréhendais l'idée de ressentir cette impression à nouveau.

— Ouais, OK, ai-je fait en prenant la tasse de thé qu'Alyce me tendait.

Notre cercle était petit — nous étions seulement trois — et très influencé par Alyce : ouvert, réceptif, réconfortant, fort, très féminin.

Nous nous sommes tenues debout, main dans la main, au centre du salon. Les pâles rayons du soleil hivernal filtraient par les fenêtres. Les yeux fermés, nous avons chacune entonné notre chant de pouvoir personnel.

— *An di allaigh, ne ullah*, ai-je commencé.

Sky et Alyce ont chacune chanté à voix basse : le chant d'Alyce était en français alors que celui de Sky s'apparentait davantage au mien : celtique, ancien et incompréhensible. Nous avons fait trois fois le tour de notre bougie dans le sens des aiguilles d'une montre. Au moment du troisième tour, j'ai senti le pouvoir circuler des doigts de Sky aux miens et de mes doigts à ceux d'Alyce. Ce pouvoir possédait une qualité distincte, différente : il était éternel, revigorant.

Puis, Alyce a invoqué les quatre éléments, la Déesse et le Dieu, avant de dire :

— Dame et Seigneur, nous avons chacune une quête personnelle. Aidez-nous à nous ouvrir aux réponses données par l'Univers. Aidez-nous à ouvrir notre esprit à la sagesse du monde.

— Ma quête est à titre de meneuse de Starlocket, a poursuivi Alyce. Aidez-moi à ouvrir ma conscience pour obtenir la sagesse dont j'ai besoin pour guider les femmes et les hommes de mon assemblée. Aidez-moi à comprendre pourquoi j'ai été choisie pour les diriger. Aidez-moi à remplir mes tâches avec amour.

Puis, ses yeux bleu-violet se sont posés sur Sky, et elle a hoché la tête. Sky a adopté un air pensif avant de prendre la parole.

— Ma quête est… de savoir si je rendrai hommage à l'héritage de mes parents. De savoir si ma magye sera aussi forte et aussi pure que la leur.

Je l'ai regardée, surprise d'entendre qu'elle avait des doutes sur son pouvoir et ses capacités. Elle m'avait toujours semblé confiante, voire un peu arrogante, et je savais qu'elle possédait un bien plus grand bagage de connaissances et de sortilèges que moi. À présent, je constatais qu'elle avait des faiblesses elle aussi.

Alyce s'est tournée vers moi et je me suis sentie non préparée. Ce n'était pas la raison pour laquelle je m'étais présentée ici, et je n'avais aucune phrase toute prête. De quelle quête devrais-je parler ? Il y avait tellement de questions sans réponses dans ma vie : à propos de Cal, de Selene, des outils de Maeve, de mon père biologique, de Hunter, de Bree… Par où commencer ?

— Non, ma chère, a doucement dit Alyce. Ta quête est beaucoup plus profonde.

Oh. Alors, je me suis mise à réfléchir au cercle que nous avions tenu chez Sharon, et la réponse m'est venue.

— Ma quête personnelle concerne ma nature véritable, ai-je dit en sachant qu'il s'agissait de la vérité dès que les paroles ont quitté ma bouche. Suis-je plus susceptible de tendre vers le mal en raison de mon sang Woodbane? Devrais-je combattre le mal deux fois plus fort que tout le monde? Comment puis-je apprendre à le reconnaître quand je le vois? Suis-je... Puis-je échapper aux ténèbres?

J'ai senti l'approbation d'Alyce sans avoir à la regarder: j'ai su que j'avais posé les bonnes questions, en plus d'éveiller l'intérêt de Sky et une sorte d'alarme en elle. Nous nous sommes tenu les mains pendant un moment en nous contentant de rester debout, et j'ai senti le pouvoir circuler entre nous trois, tel un courant électrique. Je suis forte, ai-je pensé. Et j'ai de bons amis. Hunter, Robbie, Bree, Alyce, même Sky — ils se tiendraient à mes côtés pour m'aider à faire les bons choix. L'espace d'un instant, cette connaissance assurée est demeurée dans mon esprit et m'a donné un sentiment de réconfort et de paix.

Puis, nous avons fait trois tours dans le sens contraire des aiguilles d'une montre, et Alyce a défait le cercle. Nous avons soufflé la flamme de la bougie.

— Merci à vous deux, a dit Alyce en ramassant les gobelets de rituel. À présent, mon appartement sera béni par cette belle énergie. Et nous avons chacune trouvé une question dans notre cœur à laquelle nous devons répondre avant d'avancer.

— Comment trouver la réponse? a demandé Sky d'un ton frustré.

Alyce a ri avant de nous dire gentiment :

— Cela fait partie de la question, j'en ai bien peur.

Nous sommes demeurées dans l'appartement d'Alyce pendant une autre demi-heure, profitant de la présence l'une de l'autre. Puis, comme Alyce devait retourner à la boutique, Sky et moi sommes parties à contrecœur.

— C'était bien, a dit Sky quand nous nous sommes retrouvées à l'extérieur.

— Ouais, ai-je dit en souriant, profitant de ce moment d'amitié sans complications.

— Eh bien, à plus tard.

Elle a descendu la rue pour gagner sa voiture.

Quand j'ai démarré Das Boot, j'ai repensé à notre cercle. Étrangement, je me sentais plus effrayée qu'auparavant, maintenant que j'avais reconnu ouvertement ma plus grande peur. Je jetais continuellement des regards par-dessus mon épaule, comme si je m'attendais à ce qu'à tout moment, la vague sombre ne se pointe dans mon rétroviseur.

Sans y réfléchir, j'ai commencé à emprunter la route qui passait devant la maison de Cal. Au dernier moment, j'ai réalisé ce que je faisais et j'ai dévié la voiture pour regagner ma voie, sous le klaxon furieux de l'automobiliste derrière moi. J'ai agité la main pour m'excuser et j'ai emprunté une autre route pour rentrer à la maison. Je ne voulais pas passer devant sa maison. Pas aujourd'hui.

# 8

# Attaqués

Samhain, 1975

Hier soir a marqué la fin de mon apprentissage de deux ans avec Amyranth. Ma vie a tellement changé au cours des cinq dernières années. Quand je repense à qui et à ce que j'étais, j'ai l'impression de voir une vie différente, une personne différente. La personne que je suis aujourd'hui est tellement plus intense et accomplie.

Nous nous trouvons à présent dans le nord de l'Écosse, un lieu désolé et menaçant. La terre est sauvage ici, et j'adore ça, même si je sais que je ne suis pas faite pour vivre ici. Mais voilà où nous sommes, et mes os absorbent le pouvoir qui émane à même des rochers du paysage.

Il y a deux ans, quand j'ai été initiée à Amyranth, j'avais seulement entendu des rumeurs diffuses au sujet des vagues sombres. Depuis, trois événements ont eu lieu à ma connaissance, mais je n'ai pas eu la permission d'y participer ou d'en connaître les détails. Hier soir, tout ça a changé.

Nous avons pris l'assemblée de Wyndenkell, une assemblée dont l'origine se perd dans le fil du temps. Elle existait depuis au moins 450 ans. Je ne peux même pas l'imaginer. En Amérique, la majorité de nos assemblées sont en existence depuis moins de 100 ans. Ici, la magye est ancienne et fascinante ; la raison pour laquelle nous voulions prendre cette assemblée.

Il m'est interdit de parler de l'événement ou de ce que nous avons fait pour invoquer la vague. Mais je peux dire qu'il s'agit de l'événement le plus terrifiant et le plus exaltant dont j'ai été témoin. Voir cette énorme vague féroce, de la couleur pourpre d'une ecchymose, balayer le cercle réuni, sentir son vent glacial saisir les âmes et le pouvoir des sorcières, sentir son énergie se fondre en moi, comme un éclair. Eh bien, je suis une nouvelle femme, une nouvelle sorcière. Je suis une fille d'Amyranth, et ce simple fait donne à ma vie une signification et me transporte de joie.

À présent, les connaissances et la magye de l'assemblée Wyndenkell sont à nous. Comme il se doit.

— SB

— Voilà ce que j'appelle une belle voiture, a fait Hunter en glissant ses doigts sur les sièges en cuir de Breezy. Une ingénierie allemande, une faible consommation d'essence.

J'ai plissé les yeux. Était-ce là une attaque contre Das Boot? Ma voiture ne pouvait être tenue responsable d'avoir été construite avant que la faible consommation d'essence ne devienne une caractéristique recherchée. J'ai tenté de lancer un regard noir à Hunter, mais je ne pouvais lui en tenir rancune. C'était un vendredi trop agréable, ensoleillé, avec un ciel parfaitement dégagé et une température frôlant les quatre degrés. Jouir d'une petite pause dans cet hiver infernal était un cadeau.

— Ouais, je l'aime bien, a fait Bree depuis le siège du conducteur.

Elle a navigué sans effort sur la bretelle d'accès, et nous roulions sur l'autoroute, en direction d'une ville avoisinante du nom de Greenport. Son centre-ville comptait beaucoup de boutiques et de restaurants chouettes, et Bree avait convaincu Robbie et moi de l'y accompagner. J'avais rassemblé ensuite assez de courage pour inviter Hunter à se joindre à nous. Ce n'était pas exactement un rendez-vous, mais j'avais de plus en plus l'impression que nous formions un couple.

— As-tu parlé au Conseil de notre vision dans la pierre lors du présage? ai-je demandé à Hunter à voix basse.

Il a hoché la tête.

— J'en ai parlé à Kennet Muir, mon mentor. Il m'a promis que le Conseil enquêterait. Il m'a prévenu de ne plus faire de présages, car cela ne ferait que guider la vague sombre vers maman et papa. Je sais qu'il a raison, mais…

Il s'est interrompu. J'ai décelé l'impatience et la frustration dans sa voix. Je savais exactement comment il se sentait. Même d'apprendre qu'ils étaient morts serait préférable, en quelque sorte, à cet entre-deux constant. J'ai pris sa main dans la mienne.

Il s'est tourné vers moi, et nous avons échangé un regard qui a semblé faire fondre mon âme. Avais-je déjà connu une telle symbiose avec quiconque ?

— Je sais, a-t-il murmuré, et j'ai compris qu'il me disait qu'il partageait cette pensée.

Mon cœur s'est emballé, et soudain, cette journée éclatante semblait être plus que ce mon cœur pouvait supporter.

Robbie s'est retourné vers nous.

— Croustilles? a-t-il offert en tendant un sac.

Il était 10 h 30, ce qui ne m'a pas empêchée de prendre une pleine poignée de croustilles à saveur de barbecue et de les croquer. En adoptant un regard particulièrement britannique, Hunter a refusé. J'ai dissimulé un sourire.

— Je peux avoir une croustille? a demandé Bree.

Robbie lui en a donné une en posant sur elle un regard où se mêlaient l'adoration et le désir.

J'ai mangé une autre bonne poignée de croustilles avant d'ouvrir une canette de Coke diète. Le regard de Hunter était fixé sur moi, et j'ai tenté très fort de ne pas me revoir, en train de l'embrasser, sur le plancher de ma chambre.

— Une boisson naturelle parfaite, ai-je dit en soulevant la canette.

Il a grimacé avant de détourner le regard.

— Quelle journée magnifique, a lancé Bree en s'étirant sur son siège.

— Grâce à moi et à mon sortilège de beau temps, ai-je dit d'un ton léger.

Robbie et Hunter m'ont tous deux jeté un regard alarmé.

— Tu n'as pas fait ça, a dit Robbie.

— Tu n'as pas fait ça, a dit Hunter.

Tout ça m'amusait au plus haut point.

— Peut-être que oui, peut-être que non.

Hunter paraissait bouleversé.

— Tu ne peux juste pas être sérieuse !

Juste pas, ai-je pensé. Très britannique.

— N'as-tu rien appris au cours des dernières semaines ? a-t-il demandé. La manipulation de la température ne peut être prise à la légère. Tu n'as aucune idée des conséquences que cela peut avoir. Comment as-tu pu faire un usage de la magye de façon si inappropriée ?

Mon regard a croisé celui de Bree dans le rétroviseur. Instantanément, un sourire s'est dessiné sur son visage : elle était la seule à deviner que je les taquinais. Comme c'était merveilleux de faire à nouveau une sortie avec elle. Les trois derniers mois m'avaient semblé déserts sans elle. Il nous restait beaucoup de travail à faire pour rebâtir notre relation, mais nous faisions des progrès, et c'était merveilleux.

— Tu ne comprends pas ce que le Conseil… a poursuivi Hunter, dont les nerfs se mettaient en boules.

— Détends-toi, Hunter, ai-je dit en ayant pitié de lui. Je ne faisais que plaisanter. Je ne sais même pas comment user de la magye liée à la température.

— Qu… quoi? a-t-il bégayé.

— Je ne sais même pas comment user de la magye liée à la température, ai-je répété. Et j'ai bien appris ma leçon quant à l'usage inapproprié de la magye. Oui, M'sieur. Tu ne me surprendras pas à refaire *ça* de sitôt.

D'un air satisfait, j'ai pris une grande gorgée de mon Coke diète.

Hunter a tambouriné la poignée de sa portière de ses doigts en regardant par la vitre. Après un certain moment, j'ai vu un sourire qu'il tentait de réprimer se dessiner sur ses lèvres, et j'ai ressenti une bouffée de joie.

— En passant, a-t-il dit quelques minutes plus tard, je suis allé chez Selene et j'ai fait le tour pour trouver la source de la bougie que tu as aperçue. Je n'ai trouvé la trace de rien ni de personne; aucune magye.

— Quelle bougie chez Cal? a demandé Robbie.

— Je pensais avoir vu quelqu'un tenir une bougie allumée à l'une des fenêtres de l'ancienne maison de Cal, ai-je expliqué.

Le visage de Robbie a pris une expression interloquée et alarmée.

— Mince.

— Alors, tu n'as vu aucune trace de pas ni rien? ai-je demandé à Hunter.

— Non. L'intérieur est déjà poussiéreux, et rien n'avait troublé la poussière, a dit Hunter. J'ai à nouveau tenté de pénétrer dans la bibliothèque cachée de Selene, sans succès. Impossible de trouver la porte.

Il a secoué la tête en signe de frustration.

— Elle possède une magye incroyablement forte, je dois l'admettre.

— Hummm, ai-je dit pensivement.

J'étais pénétrée dans cette bibliothèque une seule fois, par accident, et j'y avais trouvé le Livre des ombres de Maeve. Je me demandais si je pouvais y accéder une autre fois. Il était à parier que l'Assemblée internationale des sorcières voudrait mettre la main sur ce qu'elle avait pu laisser dans cette pièce, le cas échéant. Mais je ne pouvais trouver le courage de le faire. Je ne voulais plus jamais pénétrer dans cette maison. Je voulais venir en aider à Hunter, mais je n'arrivais pas à le lui proposer.

— Hé, Bree, nous allons prendre la prochaine sortie, a fait Robbie, qui s'occupait de l'orienter.

— OK, a répondu Bree.

Nous n'avons pas réellement reparlé de magye par la suite. Je me suis mise à repenser au cercle que j'avais eu avec Sky et Alyce la veille. Je savais que je devais en apprendre davantage sur mon héritage, mes parents biologiques, mais j'ignorais par où commencer. Ils étaient morts plus de quinze ans plus tôt, et ils ne connaissaient personne, n'avaient aucun ami proche à ma connaissance, en Amérique.

Quand j'avais appris mon adoption, j'avais lu tous les articles de journaux que j'avais trouvés au sujet de l'incendie qui avait tué mes parents biologiques. J'avais également trouvé le Livre des ombres de Maeve dans la bibliothèque de Selene (ce qui aurait dû me mettre la puce à l'oreille au sujet de Selene, à savoir qu'elle n'était probablement pas aussi ouverte et généreuse que je ne le croyais) et je l'avais lu d'un couvert à l'autre. J'avais même trouvé les passages secrets détaillant l'idylle passionnelle et tragique de Maeve avec un autre homme qu'Angus, mon père biologique. Je possédais les outils magyques de Maeve, qu'elle m'avait aidée à trouver par une vision.

Mais toutes ces connaissances ne suffisaient pas. Elles ne comblaient pas les écarts dans ma compréhension de Maeve et d'Angus en tant que *personnes* et à titre de sorcières Woodbane.

Pendant que j'étais plongée dans mes pensées, la voiture de Bree a parcouru des kilomètres et soudain, nous étions à

Greenport, et Robbie nous a indiqué qu'il était prêt pour le déjeuner.

C'était une journée joyeuse et sans souci. Nous nous sommes promenés, avons fait les boutiques, avons pris une bouchée et avons rigolé. J'ai trouvé un joli collier de perles de verre et de fil torsadé dans une boutique d'artisanat que j'ai acheté pour l'offrir à Bree pour Noël, décidant ainsi, sur le coup, de prendre cette initiative. L'une d'entre nous devait prendre les devants si nous souhaitions rebâtir notre amitié.

Nous sommes rentrés à la maison en après-midi, et ma tante Eileen et sa petite amie, Paula, sont venues dîner à la maison. Comme tante Eileen, la plus jeune sœur de maman, était ma tante favorite, j'étais heureuse de les voir. J'étais encore plus heureuse d'apprendre qu'elles s'installaient confortablement dans leur nouvelle maison. Elles étaient récemment déménagées dans la ville voisine de Taunton où, au départ, elles avaient été harcelées par un groupe d'adolescents parce qu'elles étaient homosexuelles. Heureusement, les types avaient été arrêtés par la police, et le voisinage semblait déployer tous les efforts possibles pour bien accueillir tante Eileen et Paula.

Vers 20 h 30, j'ai souhaité la bonne nuit à tout le monde avant de me glisser derrière le volant de ma voiture. Notre assemblée tenait son cercle hebdomadaire un jour plus tôt cette semaine-là en raison des obligations familiales de certains membres pour les Fêtes. Le cercle se tiendrait à la maison de Sky et de Hunter.

La journée magnifique avait laissé place à une soirée hivernale tout aussi belle. J'avais l'impression de ne pas avoir vu les étoiles depuis des années et je me délectais de les observer par le pare-brise de Das Boot.

— Morgan.

En une seconde, mon cœur s'est arrêté net. J'ai appuyé fort sur les freins, et ma voiture a dévié vers la droite. Quand j'ai repris le contrôle, je me suis retournée pour survoler frénétiquement du regard la banquette arrière puis le siège à mes côtés qui étaient, bien entendu, vides. Cette voix. Rapidement, j'ai étiré le bras pour verrouiller toutes les portières avant de jeter un regard dans l'obscurité.

C'était Cal, la voix de Cal, qui m'appelait, comme il l'avait fait si souvent par le passé. Un message de sorcière. *Où était-il?* Il était à ma recherche. Était-il à proximité? Mon cœur battait à tout rompre et l'adrénaline courait dans mes veines, si bien que mes mains se sont mises à trembler sur le volant. Cal! Oh, Déesse. Où était-il? Que voulait-il?

Ma prochaine pensée a été de rejoindre Hunter. Hunter saurait quoi faire.

Je suis restée assise là un moment, ordonnant à mon corps de cesser de trembler. Puis, j'ai remis la voiture en marche pour poursuivre ma route. J'ai projeté mes sens de toutes mes forces. J'ai conduit prudemment en tentant d'interpréter les émotions et les impressions que je recevais, mais aucune trace de Cal en elles : aucune image, aucune voix, aucun battement de cœur.

Cal. Le coup instantané que j'ai reçu au cœur m'a horrifiée et m'a mise en colère.

Pendant un instant, quand j'ai entendu sa voix, mon cœur a bondi sous le coup d'une anticipation ardente. À quel point *peux-tu* être stupide ? me suis-je demandé, furieuse. Quelle idiote tu fais !

Avec mes sens toujours sur le pied d'alerte, j'ai engagé ma voiture sur la rue de Hunter et je me suis garée le long de sa pelouse sombre et herbeuse. Toujours aucune trace de la présence de Cal. Mais comment être certaine que mes sens ne me jouaient pas un tour ? J'ai jeté un regard effrayé à la ronde avant de filer vers l'ouverture dans la haie et de parcourir l'allée étroite menant à la maison délabrée de Hunter et de Sky.

Arrivée à moins d'un mètre de l'escalier avant, j'ai été arrêtée par des voix et des rires fusant de l'arrière de la maison. Avec impatience, je me suis frayé un chemin parmi les herbes mortes et les amoncellements de neige sur le terrain en pente menant au porche arrière. Hunter, ai-je pensé. J'ai besoin de toi. Cela avait été une erreur de ne pas dire à Hunter que j'avais aperçu la bougie dans la maison de Cal. Je savais maintenant que je devais lui faire part de ce message tout de suite.

— Yo, Morganita, m'a appelée Robbie.

J'ai levé les yeux pour l'apercevoir se tenant au bord de la terrasse.

La maison avait été érigée sur le flanc d'une colline escarpée, si bien que l'escalier avant ne comptait que quatre marches alors qu'à l'arrière, il fallait franchir deux volées de marches pour atteindre la terrasse soutenue par de longs piliers en bois. À quelques pas de la maison, la colline devenait une falaise abrupte donnant sur un ravin sauvage et magnifique dans le jour, mais sombre et sinistre la nuit tombée.

— Hé, ai-je lancé. Où est Hunter?

J'ai entendu la voix de Bree et le rire de Jenna, et j'ai senti l'odeur réconfortante et épicée du clou de girofle, de la cannelle et des pommes.

— Je suis là, a fait Hunter.

J'ai levé les yeux vers lui pour lui envoyer un message. Je dois te parler. J'ai peur.

En fronçant les sourcils, il s'est mis à descendre l'escalier pour venir à ma rencontre. Je me suis dépêchée à le gravir, réconfortée par la réalité de sa présence. À partir de quelle distance devenait-il impossible d'envoyer un message de sorcière ? me suis-je demandé. Était-il possible que Cal m'ait appelée, je ne sais pas, de la France ? Je voulais y croire.

L'escalier menant au porche était long et bancal, et il fallait franchir deux paliers avant d'atteindre le sommet. Hunter était à mi-chemin, et lorsque je l'ai presque rejoint, nos regards se sont croisés : nous avons ressenti tous deux les premiers picotements d'alarme ; nos sens ont enregistré une impression anormale d'instabilité et de balancement dans l'escalier. Puis, Hunter a avancé la main vers moi dans un mouvement de ralenti, et j'ai avancé la main vers la sienne au moment même où j'ai entendu les premiers craquements du bois et j'ai senti les marches tomber sous mes pieds, me plongeant sans fin vers l'obscurité — loin de la lumière et de mes amis.

J'ai perdu connaissance pendant un bref moment : quand j'ai ouvert les yeux, des morceaux de bois s'affaissaient toujours à mes côtés et la poussière irritait mon nez. J'avais mal partout.

— Morgan ! Morgan ! Hunter !

Difficile de dire qui nous appelait, mais j'ai senti la présence de Hunter près de moi, qui essayait de trouver une position assise près d'un des piliers de soutien du porche.

— Ici ! a crié Hunter d'une voix secouée. Morgan ?

— Ici, ai-je dit faiblement en ayant l'impression que ma poitrine avait été écrasée et que je ne pourrais jamais inspirer suffisamment d'air dans mes poumons.

J'ai tenté de tourner la tête pour regarder le porche, mais j'avais dû rouler plus loin vers le ravin, car je ne pouvais en voir le sommet.

— Attends. Je viens te chercher, a dit Hunter.

J'ai constaté qu'il se trouvait à plus de deux mètres au-dessus de moi. Puis, Robbie, Matt et Sky se sont penchés sur le bord du ravin, armés de torches électriques et d'une longue corde. En tenant la corde, Hunter s'est faufilé vers moi et je lui ai saisi la main. Ensemble, nous avons escaladé la pente rocailleuse, et au moment où j'ai atteint le sommet pour m'asseoir sur le bord de la falaise, tout mon corps tremblait. J'ai remarqué que le porche était toujours fixé à la maison, mais le coin où l'escalier parvenait normalement s'était affaissé de manière effrayante et les marches étaient en miettes. Les membres de notre assemblée se tenaient sur la pelouse en un noyau effrayé. Seuls Hunter et moi semblions avoir chuté avec l'escalier.

— Est-ce que ça va ? a demandé Bree.

J'ai décelé la peur et l'inquiétude dans ses yeux.

J'ai hoché la tête.

— Je pense qu'il n'y a rien de cassé. J'ai probablement atterri sur quelque chose de mou, ai-je dit.

— Je pense que c'était moi. Mais je vais bien, plus ou moins, a ajouté Hunter en posant une main sur ses côtes et en grimaçant. Quelques éraflures et contusions.

Sky a passé un bras autour de ma taille pour me guider vers la porte avant et l'intérieur de la maison.

— Qu'est-il arrivé? a demandé Matt en nous suivant. Le bois était-il pourri?

Les membres de l'assemblée se sont massés autour de nous pour parler de ce qui venait d'arriver. Dès qu'ils avaient vu les marches s'effondrer, ils avaient couru vers la porte de la cuisine. J'étais si soulagée que personne d'autre ne soit blessé.

Sky est sortie de la cuisine, et Bree m'a orientée vers une chaise.

— C'était terrifiant, a-t-elle dit, de voir Hunter et toi tomber.

Elle a secoué la tête.

— Tiens. J'ai trouvé du thé de kawa, m'a dit Jenna en poussant une tasse chaude dans ma main.

J'ai hoché la tête en saisissant la tasse.

— Merci.

J'ai siroté la tisane en espérant ressentir ses effets rapidement. Quelle soirée, entre la voix de Cal et l'accident.

Quelques minutes plus tard, Sky était de retour.

— Hunter inspecte le porche, m'a-t-elle informée. À présent, nettoyons tes plaies.

Elle a récupéré un petit panier de fournitures de la salle de bain et s'est affairée à nettoyer mes coupures et mes contusions.

— C'est de l'arnica, a-t-elle dit en tenant une petite fiole. C'est reconnu pour les traumatismes.

Je laissais les pilules se dissoudre sous ma langue quand Hunter est entré en boitant, le visage sombre. Son visage portait des éraflures, et son pull était déchiré et taché de sang d'un côté. Pour ma part, je savais que j'avais des contusions dans le dos et sur les jambes, mais ça se résumait à cela.

— Les poteaux ont été sciés, a annoncé Hunter en jetant le rouleau de corde.

— Quoi ? s'est exclamé Robbie.

Bree, Jenna et lui se tenaient à proximité de ma chaise. Matt, Raven, Sharon et Ethan se trouvaient près de la porte arrière, occupés à regarder ce qu'il restait du porche. Thalia, Alisa et Simon n'étaient pas encore arrivés.

J'ai jeté un regard alarmé à Hunter, et la voix de Cal s'est répercutée à nouveau dans ma tête.

— Sciés à l'aide d'une scie ou par un sortilège? ai-je demandé.

— Cela ressemblait au travail d'une scie, a fait Hunter alors que Jenna lui remettait une tasse du même thé que je buvais. Je n'ai senti aucune magye. Je vais l'inspecter de plus près demain, à la lumière du jour.

Il m'a regardée : nous devions nous parler. C'était la deuxième fois que nous frôlions la mort alors que nous étions ensemble. Ça ne pouvait être une coïncidence.

— Nous devrions peut-être appeler la police, a dit Jenna.

Hunter a secoué la tête.

— La police penserait que nous sommes des dissidents wiccans bizarroïdes, persécutés par les voisins, a-t-il sèchement dit. Je préfère ne pas les impliquer.

— OK, tout le monde. Je vais diriger le cercle ce soir, a annoncé Sky pour attirer l'attention de tous. Nous allons commencer dans quelques minutes. Les autres, pouvez-vous venir vous installer avec moi dans la pièce des cercles pendant que Morgan et Hunter terminent leur thé?

Tout le monde a quitté la pièce. Robbie m'a jeté un regard inquiet par-dessus son épaule en sortant.

Restés seuls, Hunter et moi sommes demeurés assis, silencieux, pendant un certain moment.

— Aucun de ces accidents ne semblait impliquer de la magye, a finalement dit Hunter.

Il a respiré dans la vapeur dégagée par le liquide dans sa tasse.

— Mais comme je te l'ai dit auparavant, je ne crois pas avoir d'ennemis qui ne soient pas des sorcières.

— Peut-être s'agit-il d'une ancienne sorcière? ai-je demandé en songeant à David, à qui on avait enlevé sa magye.

David était en Irlande, mais Hunter devait connaître d'autres sorcières dont la magye avait été ligotée.

— C'est une idée, a acquiescé Hunter, même si je connais assez bien l'emplacement de ceux contre qui j'ai lutté, et aucun d'entre eux ne se trouve à proximité.

Il a déposé sa tasse.

— Je ferais mieux d'aller me laver, a-t-il dit en étirant son bras avec une grimace.

Automatiquement, je l'ai suivi jusqu'à la salle de bain du rez-de-chaussée.

Il a brusquement allumé. La pièce était petite, non rénovée et couverte de carreaux blancs de style ancien. Elle était scrupuleusement propre. Il s'est mis à fouiller dans l'armoire à pharmacie. Je me suis assise, perchée sur le rebord de la baignoire.

— J'ai quelque chose à te dire, ai-je annoncé.

Il s'est tourné vers moi.

— Ton ton ne laisse rien présager de bon.

Il a soigneusement retiré son pull sombre et déchiré de même que son t-shirt troué. Il ne portait plus que son jean, et je luttais pour ne pas regarder sa poitrine nue et musclée. Sa peau était beaucoup plus pâle que celle de Cal, d'un blanc d'ivoire, et il était plus poilu. Ses poils étaient d'un brun doré et couvraient son corps de ses clavicules pour former un V jusqu'à son pantalon, soit à la hauteur de mes yeux. Ma bouche est devenue sèche, et j'ai tenté de me concentrer sur les larges éraflures desquelles s'échappait du sang le long de ses côtes.

Lorsque j'ai forcé mes yeux à remonter vers son visage, il me regardait, ses yeux brillant presque, affichant qu'il était conscient de mon regard. Sans dire un mot, il m'a tendu une débarbouillette avant de tenir son bras loin de son flanc.

Oh, ai-je pensé en me levant et en commençant à essuyer le sang et la boue de sa peau. Mes doigts fourmillaient au toucher de son corps. Il s'est retourné pour m'aider, et j'ai vu que son dos avait aussi été touché, mais les éraflures étaient moins profondes. Sa peau était lisse et de pâles taches de rousseur étaient parsemées sur ses épaules. Je me suis souvenue qu'il était à moitié Woodbane. Cal et lui étaient nés du même père.

— As-tu l'athamé des Woodbane ? ai-je demandé. La tache de vin ?

— Oui, en fait, a-t-il dit. Et toi ?

— Oui.

J'ai laissé tomber la débarbouillette dans le lavabo et j'ai attrapé l'onguent antibiotique.

— Je te montrerai la mienne si tu me montres la tienne, a-t-il dit avec un sourire vorace.

Ma tache se trouvait sous mon bras gauche, contre mes côtes. Comme je ne pouvais apercevoir la sienne, je présumais qu'elle se trouvait quelque part sous son pantalon. Comme mon esprit ne pouvait imaginer la suite de ce scénario, je n'ai rien dit.

— Tu ne veux pas savoir où la mienne se trouve ? a-t-il demandé d'un ton taquin.

Je pouvais sentir la rougeur grimper de mon cou vers mon visage. Il s'est penché vers moi et a doucement repoussé mes cheveux derrière mon épaule avant de glisser un doigt le long de ma mâchoire. Je me suis souvenue comment je m'étais sentie, blottie contre lui, et mes pensées ont perdu toute forme de cohérence.

— Non, ai-je dit sans conviction, perdue dans ses yeux.

Je veux savoir où se trouve ton athamé, a-t-il soufflé, sa bouche près de la mienne.

À l'idée de sentir ses mains sous mon chemisier, parcourir ma peau, j'ai senti mes genoux fléchir.

— Euh, ai-je dit pour tenter de me convaincre de ne pas retirer mon chemisier immédiatement.

Concentre-toi. Allez, Morgan.

— Cal m'a appelée ce soir, ai-je lâché.

Sa main est tombée de ma joue.

— *Quoi ?*

Sa voix a résonné contre les carreaux de la pièce.

— En chemin, il m'a envoyé un message de sorcière. Je l'ai entendu dans mon esprit.

Le regard de Hunter s'est figé sur moi.

— Pourquoi ne pas l'avoir dit tout de suite ?

Je me suis contentée de le regarder, et il a alors réalisé ce qui était survenu dès mon arrivée.

— C'est vrai. Désolé. Eh bien, qu'a-t-il dit ? As-tu pu déterminer où il était ? Sais-tu où il est ? Dis-moi tout.

Quelques instants plus tôt, il avait été espiègle et flirteur, mais à présent, il avait repris son ton intense et professionnel.

— Il n'y a pas grand-chose à rapporter, ai-je expliqué. J'étais en route vers chez toi quand soudain, j'ai entendu Cal dire « Morgan ». C'est tout. Ça m'a totalement renversée, et j'ai projeté mes sens pour le trouver, mais je n'ai pas senti sa présence. Je veux dire, je n'ai rien senti. Et c'est tout ce qu'il a dit.

— Sais-tu où il est ? m'a demandé Hunter en tenant mes épaules. Dis-moi la vérité.

— Que veux-tu dire ? Je te *dis* la vérité ! J'ignore où il est.

Confuse, j'ai rivé mes yeux sur lui. Comment pouvait-il croire que je lui mentirais à propos d'une chose aussi importante pour nous deux ?

— Cal, ce salopard! s'est emporté Hunter en me relâchant.

Ses mains se sont serrées en poings, et la salle de bain semblait trop petite pour contenir sa rage.

— Tu es certaine de m'avoir tout dit?

— Certaine. Je t'ai tout dit.

Je lui ai rendu son regard noir.

— Pourquoi me traites-tu comme une criminelle? Je n'ai rien fait de mal.

Un muscle s'est contracté dans sa mâchoire. Mais il n'a pas répondu directement à ma question. Il s'est plutôt mis à me bombarder de questions.

— Te sentais-tu différente de quelque façon? Y a-t-il des périodes où te ne souviens plus de rien? Quoi que ce soit de confus ou d'étrange?

J'ai alors réalisé où il voulait en venir.

— Je le saurais, non, s'il m'avait jeté un sort?

— Non, a fait Hunter avec dédain. Il est une sorcière minable, mais il en sait plus que toi.

Il a plongé son regard profondément dans mes yeux, comme s'il pouvait y voir le reflet du sortilège. Puis, il s'est détourné. Je me sentais embarrassée et furieuse. Hunter me blessait, et je sentais que je me refermais sur moi-même. Surtout lorsqu'il a pivoté sur lui-même pour me faire face et pour ajouter :

— Tu ne me caches rien, n'est-ce pas? Tu ne ressens pas le besoin idiot de le protéger parce qu'il est un foutu beau mec et que tu le désires encore, même après qu'il a tenté de te tuer?

Ma bouche est devenue béante, et j'ai levé la main, prête à le frapper, lorsque j'ai tout compris : il était jaloux. Jaloux de mon passé avec Cal. Je suis demeurée debout là, une main dans les airs, à tenter d'absorber toute cette information.

— Déesse, quel salaud! a lancé Hunter. S'il est ici, si je le trouve…

Et alors, quoi? me suis-je demandé. Je ne pouvais croire que le Hunter froid et réservé que je connaissais s'était transformé en cette furie que je pouvais à peine reconnaître, et ce, en l'espace de quelques secondes. J'en étais terrifiée.

— Hé, vous deux, avez-vous bientôt terminé? nous a lancé Sky depuis l'autre pièce.

— Oui, ai-je répondu.

Je voulais m'éloigner de Hunter. Je me suis demandé pourquoi j'avais pu croire que de lui parler de tout cela me soulagerait ou me donnerait l'impression d'être en sécurité.

— Il s'agit d'un des rituels les plus utiles, a expliqué Sky près d'une demi-heure plus tard.

Je découvrais qu'un cercle dirigé par Sky était différent de tous les autres cercles dont j'avais fait partie : en réalité, la personne dirigeant un cercle imprégnait naturellement celui-ci de son aura, de son pouvoir et de toute sa personnalité. C'était fascinant de constater comment chaque meneur produisait un cercle différent. Jusqu'à maintenant, j'aimais le cercle de Sky.

— J'aimerais vous montrer comment détourner une énergie négative, a dit Sky.

Ce n'est pas une technique à utiliser si vous êtes attaqués ou si vous êtes vraiment dans le pétrin. C'est plutôt un moyen doux et constant de vous entourer d'une énergie qui réduira la négativité dans votre vie et haussera votre énergie positive.

J'ai jeté un regard à la dérobée du côté de Hunter en me disant qu'il pourrait bien profiter d'une dose d'énergie positive en ce moment. Sa colère paraissait moins intense, mais il était évident qu'il broyait toujours du noir.

— Ce rituel est fondé sur des runes, a expliqué Sky.

Elle a saisi une petite pochette de velours rouge de sa ceinture avant de s'agenouiller.

— Approchez-vous, tout le monde, et assoyez-vous.

Elle a ouvert sa pochette pour en vider le contenu sur le plancher en bois. Des carreaux de runes se sont répandus sur le sol — de jolis carreaux, faits de pierres de différentes couleurs. Je possédais un ensemble de carreaux de runes similaire à la maison, que j'avais acheté chez Magye pratique, mais mes carreaux étaient seulement faits d'argile réfractaire.

— Il existe un si grand nombre d'outils qu'une sorcière peut utiliser. De l'encens, des herbes, des essences, des runes ou d'autres symboles, des cristaux et des pierres précieuses, des métaux, des bougies.

Elle nous a adressé un grand sourire alors que nous nous massions autour d'elle, tels des enfants de la maternelle.

— Les sorcières ont l'esprit très pratique. Nous utilisons tout ce qui est à notre portée. Aujourd'hui, nous utiliserons des runes.

De ses doigts agiles, elle a organisé les runes en trois rangées, chaque tuile classée conformément à son rang dans le futhark, l'ancien alphabet runique. Nous avions tous appris l'alphabet par cœur, et je pouvais entendre les membres de l'assemblée identifier silencieusement chaque rune.

— D'abord, il y a Eolh, pour la protection, a fait Sky en retirant la tuile de sa rangée. Quelqu'un peut me dire un autre nom pour Eolh ?

— Algiz, ai-je automatiquement dit.

— Et Wynn, a-t-elle ajouté en déposant la tuile de Wynn près de celle d'Eolh, pour le bonheur et l'harmonie. Un autre nom pour Wynn?

— Wunjo, a indiqué Simon.

— Uine, a fait Robbie.

Sky a hoché la tête. J'aimais sa façon d'inclure le groupe à sa démarche — elle ne se contentait pas de donner son cours, mais faisait aussi appel à notre petit bagage de connaissances.

— Sigel, pour le soleil, la vie et l'énergie, a dit Sky en plaçant la tuile près des autres pour former un triangle.

— Sowilo, a dit Thalia d'un air qui démontrait qu'elle était fière de le savoir.

— Sugil, a ajouté Bree.

Sky a fait un grand sourire.

— Vous êtes bons. Un dernier. Ur, pour la force.

Elle a déposé la tuile d'Ur et, ensemble, les quatre symboles formaient un losange.

— Uruz ou Uraz, a dit Raven.

Ses yeux ont croisé ceux de Sky pour échanger un moment de communion privée.

— Exact. À présent, a poursuivi Sky, vous pouvez gribouiller ces runes sur du papier, les tailler dans une ardoise ou une pierre ou les graver dans une bougie, peu importe. Mais utilisez *ces* quatre runes dans *cet* ordre. Placez les runes écrites dans votre espace personnel, votre chambre à coucher, votre voiture ou même votre case à l'école. Lorsque vous les apercevez, frappez-les du doigt et répétez : « Eolh, Wynn, Sigel, Ur. Venez à moi d'où que vous êtes. Guidez ce que je fais ou dis et laissez votre sagesse venir à moi. »

Elle s'est rassise.

— Vous pouvez aussi décrire trois cercles dans le sens des aiguilles d'une montre avec votre main, paume vers le bas, au-dessus des runes pour contribuer à augmenter leur pouvoir.

Elle nous a fait une démonstration.

— C'est tout. Ce n'est pas une grande ou une belle utilisation de la magye, mais c'est très pratique.

— Je pense que c'est beau, a dit Alisa, qui paraissait jeune et sincère. Tout ce qui est lié à la magye est beau.

— Non, ai-je dit d'un ton plus rude que prévu. Ce n'est pas vrai.

Les gens m'ont regardée, et je me suis sentie embarrassée. Hunter et Sky ont hoché la tête, et j'ai su qu'ils comprenaient. Nous trois, nous avions été témoins d'instances de magye noire et laide. Elle existait, partout autour de nous.

Ce soir-là, ma voiture suivait celle de Bree en chemin vers la maison. Je me sentais bouleversée et tremblante, sans oublier contusionnée et pleine de douleur : entendre la voix de Cal, faire une chute effrayante, assister à la réaction horrible de Hunter quand je lui avais parlé de Cal. Cal se trouvait-il tout près ? Le simple fait d'y penser me terrifiait. C'en était trop. Je souhaitais uniquement rentrer à la maison et me réfugier dans mon lit avec mon chaton, Dagda.

Bree avait emprunté le chemin le plus rapide vers la maison, Gallows Road ; une route sinueuse qui comptait beaucoup de courbes, mais qui était plus rapide que les voies principales. De nous deux, Bree avait

toujours été la conductrice la plus témé-
raire, et même en tentant de suivre son
rythme, après quelques minutes, je l'ai
perdue dans l'obscurité. Soudain, j'ai été
submergée par l'impression d'être complètement seule sur la route sombre.

Sans crier gare, mes phares ont éclairé
quelque chose devant moi, sur la route. J'ai
pu déceler une forme embrouillée — un
cerf? — à peine à temps pour me permettre d'enfoncer les freins. Pendant que
les pneus crissaient pour immobiliser Das
Boot, mes yeux ont retrouvé leur mise au
point, et ma bouche s'est ouverte pour prononcer un «oh» silencieux. Mes phares ont
éclairé une silhouette qui s'est approchée
lentement de ma voiture, les mains en l'air.

Cal.

# 9

# Cal

Lammas, 1976

Je suis plutôt bien installée dans la maison maintenant que Clyda est partie. Sa mort, survenue il y a trois mois, a surpris tout le monde, sauf moi. Elle était malade et devenait de plus en plus frêle et faible. Je pense que la vague sombre sur Madrid lui a réellement bouffé toute son énergie. En réalité, elle n'aurait pas dû voyager à son âge. Mais certaines personnes éprouvent de la difficulté à admettre leurs faiblesses.

J'étais en Irlande la semaine dernière, où j'ai rencontré deux sorcières intéressantes. La première était un magnifique garçon, à peine assez vieux pour avoir un poil au menton, mais dont le pouvoir est déjà effrayant, fort et en vaut le détour. J'ai accueilli Ciaran dans mon lit une nuit, et il était d'une jeunesse charmante, enthousiaste et étonnamment habile. Il me suffit d'y penser maintenant pour sourire.

Mais c'est Daniel Niall qui hante mes pensées, et je ne peux pas passer outre l'ironie de cette réalité. Daniel est un Woodbane originaire de l'Angleterre ayant assisté à une réunion d'Amyranth à Shannon. Je pouvais voir son inconfort, le fait qu'il était venu à nous par curiosité et qu'il n'aimait pas ce qu'il avait trouvé. Pour une raison que j'ignore, il n'en est devenu que plus attrayant. Il ne possède pas la beauté rude et crue de Ciaran, mais il est beau, avec des traits masculins et prononcés, et quand il me regarde dans les yeux et qu'il me sourit timidement, mon cœur cesse de battre. Cher Daniel. Il est bon jusqu'à la moelle, honnête : il fait partie d'une de ces assemblées de Woodbane ayant renoncé au mal il y a très longtemps. C'est à la fois étrangement touchant en plus d'être une gageure : c'est tellement plus satisfaisant de séduire un ange qu'un scélérat.

— SB

Tout de suite, j'ai ressenti une vague de peur me balayer de la tête aux pieds, et mes mains ont serré le volant. Cal a fait un mouvement de la main, et le moteur de Das Boot s'est doucement arrêté et ses phares se sont éteints. Automatiquement, j'ai fait appel à ma vision magyque, à laquelle j'ai commencé à accéder peu après avoir appris que j'étais une sorcière de sang.

Cal s'est rapproché de moi, et j'ai violemment ouvert la portière pour bondir à l'extérieur : j'étais déterminée à me tenir debout durant toute rencontre avec lui. Quand j'ai aperçu son visage, j'en ai perdu le souffle, non pas subitement, mais en douceur, comme une traînée de fumée dans l'air froid de la nuit. Oh, Déesse, avais-je oublié son visage ? Non, pas lorsqu'il hantait mes rêves et mes pensées éveillées. Mais j'avais oublié l'effet qu'il avait sur moi — le désir doux que j'ai ressenti quand nos regards se sont croisés, et ce, malgré ma peur.

Ont suivi, bien entendu, la colère inscrite dans ma mémoire et une bouffée féroce d'instinct d'autoprotection.

— Qu'est-ce que tu fais ici? ai-je demandé en tentant de projeter une voix forte.

Mais dans l'obscurité, ma voix semblait dure et effrayée.

— Morgan, a-t-il dit.

Sa voix a rampé le long de mes nerfs tel du miel. Sa voix m'avait manqué. J'ai transformé mon cœur en pierre et je l'ai fixé du regard.

— La dernière fois que je t'ai vu, tu essayais de me tuer, ai-je dit en m'efforçant d'afficher une désinvolture que la peur m'empêchait de feindre.

— J'essayais de te sauver, a-t-il dit avec sérieux.

Il s'est approché si près que j'ai bien pu voir qu'il n'était ni une apparition ni un fantôme, mais une personne réelle, dans un corps réel, qui m'avait touchée et embrassée.

— Crois-moi : si Selene avait mis la main sur toi, la mort aurait été un bien meilleur sort. Morgan, je sais que j'ai eu tort, mais je suis devenu fou de peur et j'ai fait ce que je croyais être pour le mieux. Pardonne-moi.

J'étais incapable de parler. Comment y parvenait-il ? Même à présent, en sachant que je devrais bondir dans ma voiture et filer à toute vitesse, mon cœur me murmurait : « Crois-le. »

— Je t'aime plus que jamais, a dit Cal. Je suis revenu pour être avec toi. J'ai dit à Selene que je ne l'aiderais plus.

— Tu essaies de me faire croire que tu as coupé les liens avec ta mère ? ai-je dit.

L'émotion rendait ma voix dure et crue.

— Donne-moi une bonne raison de te croire.

Sans dire un mot, Cal a ouvert son manteau. Sous celui-ci, il portait une chemise en flanelle dont il a déboutonné les trois premiers boutons pour me permettre de voir sa poitrine. Instantanément, une image de la poitrine nue de Hunter est passée comme un éclair dans mon esprit. Oh mon Dieu, ai-je pensé avec une pointe d'hystérie.

Puis, j'ai aperçu le bout de peau noirci et brûlé directement au-dessus du cœur de Cal. J'ai fixé ma vision magyque sur cette région afin de la voir clairement, malgré l'obscurité. Elle avait la forme d'une main.

— C'est Selene qui m'a fait ça, a expliqué Cal, et le souvenir de la souffrance a vibré dans sa voix. Quand je lui ai dit que je te choisissais, toi.

Déesse. J'ai difficilement avalé ma salive. Et puis, sans prendre le temps de penser à tout ce que je risquais, j'ai tendu la main pour effleurer sa joue de mes doigts. Je devais découvrir la vérité.

Ses yeux se sont enflammés quand il a réalisé ce que je faisais, mais il est demeuré immobile. Je me suis frayé un chemin à travers les couches externes de sa conscience : j'ai senti sa résistance, puis il s'est obligé à accepter mon invasion. Pour la première fois, je contrôlais l'emmêlement des esprits avec Cal. Je verrais ce que je voulais voir et non pas seulement ce qu'il voulait me montrer.

Puis, je me suis trouvée à l'intérieur : Cal était partout autour de moi. J'ai vu mon visage, mais de son point de vue : entouré d'un certain éclat qui me faisait paraître belle, surnaturelle. J'ai été troublée de ressentir à quel point il me désirait.

J'ai aperçu Hunter marcher dans une rue de Red Kill et j'ai ressenti une pointe horrible de haine et de violence de la part de Cal qui m'a bouleversée.

J'ai aperçu une colline escarpée sous moi, parsemée de petites maisons de stuc rose aux toits rouges, qui s'étalait jusqu'à une baie d'un bleu éclatant. J'ai senti la brise sur mes joues. Au loin, un pont rouge s'étendant d'un promontoire à un autre, et j'ai réalisé que je voyais San Francisco, une ville où je n'avais jamais mis les pieds. C'était magnifique, mais ce n'était pas ce que je devais voir. J'ai poursuivi ma recherche.

Et alors, j'ai vu Selene.

Elle me regardait directement, si bien que j'ai dû résister à l'impulsion de cacher mon visage, même en sachant qu'elle n'était qu'une vision des souvenirs de Cal. Ce n'était pas moi qu'elle regardait, mais lui. Ses yeux reflétaient une fureur froide.

— Tu ne peux pas partir, a-t-elle dit. Je ne te le permettrai pas.

— Je m'en vais, a fait Cal.

Et j'ai ressenti sa bravoure, sa peur, sa détermination.

Le beau visage de Selene s'est tordu de rage.

— Idiot, a-t-elle dit.

Puis, sa main a serpenté vers Cal, si rapidement que l'image s'est brouillée, et j'ai ressenti une douleur cuisante quand elle a touché la chair de Cal. Sa main était froide comme un cadavre, comme si elle était faite d'azote liquide, et pourtant une colonne de fumée s'est levée devant mes yeux, et j'ai senti l'odeur de la chair carbonisée. J'ai grincé des dents et j'ai haleté, me tortillant avec Cal alors qu'il tentait d'échapper à cette agonie.

Puis, elle a retiré sa main, et tout était terminé, à l'exception du souvenir de la douleur.

— Ce n'est qu'un minuscule avant-goût de ce que je peux faire, a-t-elle dit d'une voix aussi dure que l'acier. J'aurais pu cueillir ton cœur aussi facilement que l'on cueille les cerises d'un bol. Je ne l'ai pas fait parce que tu es mon fils et que je sais que cette folie passera. Mais à présent, tu as expérimenté ce que je peux faire à ceux qui osent me défier.

Elle s'est détournée pour s'éloigner.

Tremblante, j'ai laissé ma main tomber, mais Cal l'a saisie.

— Morgan, j'ai besoin de toi. J'ai besoin de ton amour et de ta force. Ensemble, nous sommes assez forts pour combattre Selene et la vaincre.

— Non, ce n'est pas vrai! ai-je crié en retirant vivement ma main. Es-tu fou? Selene pourrait nous anéantir, et cinq autres sorcières dans un même temps. J'ignore s'il est même *possible* de l'arrêter.

— C'est possible! s'est exclamé Cal en se rapprochant davantage.

Il était plus mince que la dernière fois où je l'avais vu, et son bronzage doré perpétuel avait légèrement perdu son éclat. Je me suis demandé s'il mangeait, où il habitait, avant de me dire que je n'en avais rien à faire.

— C'est possible d'arrêter Selene. Nous deux, armés des outils de l'assemblée de ta mère, suffirons à l'arrêter net. Morgan, dis-moi que tu m'aimes encore.

Sa voix est devenue un murmure rauque.

— Dis-moi que je n'ai pas tué ton amour pour moi.

Honteuse, je devais reconnaître que je me souciais toujours de lui, et que malgré tout ce qu'il m'avait fait, je ne pouvais le détester. Mais je ne pouvais affirmer toujours l'aimer et je n'accepterais d'aucune façon de l'aider à affronter Selene.

— Impossible d'être ensemble maintenant, ai-je dit alors qu'une image de moi, blottie contre Hunter et occupée à l'embrasser férocement, est brièvement apparue dans mon esprit.

— Je sais que ce que je t'ai fait était horrible, a dit Cal. Au départ, je tentais uniquement de me rapprocher de ton pouvoir. Je l'admets. Mais ensuite, je suis tombé amoureux de toi. Tombé amoureux de ta force et de ta beauté, de ta franchise et de ton humilité. Chaque fois que je te voyais par la suite, c'était comme une révélation, et à présent, je ne peux vivre sans toi. Je ne veux pas vivre sans toi. Je veux être avec toi pour toujours.

Il semblait si sincère ; son visage était déformé par la douleur. Je ne savais pas quoi lui dire : un millier de pensées ont traversé mon esprit, comme des étincelles s'échappant d'un feu. Sa présence me répugnait alors que dans un même temps, une partie de moi mourait d'envie que ses paroles soient vraies. J'avais peur de lui, mais j'avais aussi peur qu'il dise la vérité ; que personne ne m'aimerait jamais autant que lui.

— Je te demande seulement de me donner une deuxième chance, a-t-il supplié d'un ton qui menaçait de me briser le cœur.

J'ai horriblement mal agi. Je pensais que je pourrais t'avoir tout en donnant à Selene ce qu'elle voulait, mais c'était impossible. Je t'en prie : donne-moi la chance de réparer mon erreur, de me racheter. Morgan, je t'en prie. Je t'aime.

Il s'est encore rapproché de moi, et je pouvais sentir son souffle, aussi froid que l'air de la nuit, effleurer mon visage.

— Je ne veux pas que Selene te fasse du mal. Morgan, elle veut te tuer. À présent qu'elle sait que tu ne te joindras jamais à elle, tu dois mourir pour lui donner accès à tes outils.

Il a secoué la tête.

— Je ne peux pas la laisser faire.

— Où est-elle ? ai-je demandé d'une voix tremblante.

— Je ne sais pas, a-t-il dit. Nous étions à San Francisco, mais elle n'y est plus. Elle n'est pas loin d'ici. Je ressens sa présence parfois. Au moins quatre membres de son assemblée l'accompagnent. Ils sont ici pour toi, Morgan. Tu dois me laisser te protéger.

— Pourquoi devrais-je te faire confiance ? lui ai-je demandé en tentant de taire la douleur qui perçait mon cœur. Tu as déjà essayé de me tuer : qu'est-ce qui me fait croire que tu n'essaieras pas de nouveau ?

— Te souviens-tu à quel point nous étions bien ensemble ? a murmuré Cal, et j'ai frissonné. Te souviens-tu de la façon dont nous nous touchions, dont nous joignions nos esprits ? C'était si bon, si bien. Tu sais que tout ça était réel, que je te dis la vérité à présent. Je t'en prie, Morgan…

Une partie de moi ne l'écoutait plus, car mes sens étaient à l'écoute d'une autre vibration, d'une autre image. J'ai regardé au loin sur la route.

— Hunter, ai-je fait avant d'y réfléchir.

Cal s'est tourné pour poser le regard sur la route. Je pensais pouvoir apercevoir une faible lueur sur les troncs d'arbres. La lumière de phares avant.

Pendant un moment infini, Cal et moi nous sommes regardés. Sa vue me coupait toujours autant le souffle. Et une nouvelle vulnérabilité qui n'était pas en lui auparavant le rendait encore plus attrayant. C'était

Cal, mon premier amour, celui qui m'avait ouvert la porte sur de nouveaux mondes.

— Si tu m'appelles, je viendrai, a-t-il fait d'une voix si douce que je pouvais à peine l'entendre.

— Attends! ai-je fait. Où habites-tu? Où puis-je te trouver?

Il s'est contenté de sourire avant de courir avec aisance vers le bois qui longeait la route avant de s'effacer entre les arbres, telle une apparition. J'ai cligné des yeux, et il avait complètement disparu sans laisser aucune trace de sa présence.

J'ai été surprise par la lumière éblouissante des phares avant et j'ai compris comment les cerfs ou les lièvres pouvaient être terrifiés et se figer dans leur éclat. Je suis demeurée près de Das Boot en attendant que la voiture de Hunter s'immobilise.

— Morgan, a-t-il dit en sortant de sa voiture.

De façon illogique, malgré la scène de la salle de bain, j'aurais pu fondre en larmes tant j'étais soulagée de le voir.

— Est-ce que ça va? Il est arrivé quelque chose?

Ma langue s'est appuyée fort contre mes lèvres. Hunter était un investigateur. Il avait piqué une crise à la pensée que Cal avait tenté de me contacter. Si je lui disais que je venais de *voir* Cal, qu'il était à proximité, rien n'arrêterait Hunter jusqu'à ce qu'il le trouve. Et lorsqu'il le trouverait…

Hunter et Cal se détestaient : ils avaient tenté de s'entretuer. Seule la chance en avait décidé autrement. Si Hunter trouvait Cal maintenant, l'un d'entre eux n'en sortirait pas vivant. Cette pensée m'était complètement inacceptable. J'ignorais quoi faire à propos de Cal, quoi faire avec cette connaissance que Selene était en route. Tout ce que je savais était que je devais tenir Hunter et Cal à distance jusqu'à ce que je démêle tout cela.

— Je vais bien, ai-je dit en empruntant une voix forte et assurée.

J'ai choisi mes mots avec soin en sachant qu'il sentirait tout mensonge éhonté.

— Je pensais être passée près de frapper un cerf il y a un instant, alors je me suis arrêtée, mais il est parti.

Hunter a jeté un regard du côté de la forêt avant de froncer légèrement les sourcils.

— Je sens quelque chose… a-t-il commencé, en s'adressant en partie à lui-même.

Il est demeuré immobile un moment, une expression attentive sur son visage. Puis, il a secoué la tête.

— Peu importe ce que c'était, je ne sens plus rien.

Mon expression est restée neutre.

Ses yeux sont revenus sur moi.

— J'ai ressenti une sensation bizarre à ton sujet, a-t-il dit. Comme… de la panique.

J'ai hoché la tête en espérant qu'il ne discerne pas le mensonge.

— J'ai eu peur d'avoir un accident. La journée a été… mouvementée. Je suppose que j'ai paniqué.

Son froncement de sourcils s'est effacé pour laisser place à un air penaud.

— Tu es certaine que ça va? a-t-il demandé.

— Ouais.

J'ai grimpé dans ma voiture en priant désespérément qu'elle démarre, que Cal n'ait pas endommagé le moteur de façon permanente. Je n'arrivais pas à croire que je mentais si allègrement à Hunter — une des seules personnes en qui je pouvais avoir confiance, de mon propre aveu. Mais je ne mentais pas pour me protéger, mais bien pour sauver Cal. Et Hunter. Je devais les protéger l'un de l'autre.

Hunter s'est penché par la portière ouverte et a plié les jambes afin que son visage soit à la même hauteur que le mien.

— Morgan, je suis désolé de la façon dont j'ai agi plus tôt, dans la salle de bain. C'est seulement que… je suis bouleversé au sujet de mon père. Je veux communiquer avec lui, mais je ne peux pas. Et j'ai peur pour toi. J'ai ce sentiment que je dois te protéger, et ça me tue de ne pas pouvoir être avec toi tout le temps pour m'assurer que tu es en sécurité.

J'ai hoché la tête.

— Et c'est pour ça que tu souhaites que j'effectue le *tàth meànma brach*, ai-je dit.

— Oui.

Il s'est tu un moment.

— Es-tu endolorie à cause de la chute ?

— Ouais. J'ai bien l'impression que nous allons souffrir demain. Surtout toi.

Il a ri pendant que je tournais la clé. Le moteur de Das Boot a tout de suite démarré.

— Je vais rentrer à la maison, ai-je dit de façon parfaitement inutile.

Rapidement, Hunter s'est penché vers moi pour m'embrasser avant de reculer pour fermer ma portière.

Cal avait-il vu ce baiser ? ai-je pensé, paniquée. Oh, Déesse, j'espérais que non. Il n'en serait que plus furieux. Je me suis engagée sur la route en regardant Hunter par le rétroviseur jusqu'à ce que je passe la courbe suivante et que je ne puisse plus le voir. Tout ce que je voulais était de rentrer à la maison pour me rouler en boule et fondre en larmes.

# 10

# Au grand jour

13 décembre 1977

Les mystères d'Amyranth ne sont rien devant les mystères de l'amour. Pourquoi Daniel Niall me rend-il si folle? M'a-t-il ensorcelée afin que je sois amoureuse de lui? Non, c'est ridicule. Une personne noble et honnête comme Daniel ne ferait jamais une telle chose. Non, je l'aime en raison de la personne qu'il est, mais comme ça ne me ressemble pas, je ne peux m'empêcher de questionner cet amour.

Qu'est-ce qui le rend si attrayant? En quoi est-il différent des autres hommes que j'ai eus? Comme tous les autres, il a succombé à mon charme. Personne ne m'a jamais dit non, et Daniel ne fait pas exception. Pourtant, je sens un mur interne sur lequel je ne trouve aucune brèche. Il existe quelque chose en lui que mon amour, ma puissance, ma beauté n'ont pas touché. De quoi s'agit-il?

Je sais qu'il m'aime et je sais qu'il préférerait que ce ne soit pas le cas. Lui faire réaliser à quel point il me veut est un plaisir pour moi. J'aime le voir tenter de me résister sans y parvenir. Et puis, je le récompense de sa servilité. Mais qu'est-ce qu'il me cache?

De toute façon, Daniel est ici et affairé à diverses études. Il est très intellectuel : il veut tout comprendre et connaître l'histoire de chaque chose. Une vraie sorcière de bibliothèque. Cela l'éloigne de moi, souvent. Ce qui n'est pas une mauvaise chose, car sa présence réduit drôlement le temps que je peux consacrer à mes activités au sein d'Amyranth. J'œuvre de plus en plus dans ce *groupe et de moins en moins au sein de Turneval. Les Anciens sans nom ont commencé à m'enseigner la magye plus profonde d'Amyranth, et je n'aurais jamais pu imaginer un apprentissage aussi épuisant et captivant. Je m'y perds, je m'y saoule, j'y plonge — et la seule chose qui m'en éloigne est l'occasion de passer du temps avec Daniel. Ça me fait rire.*

*— SB*

Cette nuit-là, j'ai rêvé que Selene prenait la forme d'un oiseau géant pour m'arracher au terrain de jeu de l'école où, ridiculement, je jouais au hockey avec Hunter, Bree et Robbie. Ils se tenaient sur l'herbe, agitant inutilement leurs bâtons de hockey et rapetissant à mesure que Selene m'emportait. Elle m'a déposée dans un nid géant perché sur une montagne, et quand j'ai baissé les yeux, j'ai aperçu Cal dans le nid et, devant mes yeux, il s'est transformé en un oisillon qui me toisait de ses yeux de prédateur tout en ouvrant le bec, prêt à m'engloutir. Puis, je me suis éveillée, en nage, et c'était le matin.

J'ai passé la matinée à essayer de ne pas penser à Cal. À trois reprises, j'ai agrippé le téléphone pour appeler Hunter, mais à trois reprises, j'ai replacé le téléphone sans fil sur son socle. Il y avait trop de contradictions dans ma tête pour que je puisse trouver les mots à dire.

— Qu'est-ce qui passe, Morgan? a demandé maman pendant que j'arpentais la cuisine pour une quatrième fois. Tu sembles si agitée.

Je me suis obligée à sourire.

— Je ne sais pas. Peut-être que je devrais aller faire une promenade.

J'ai saisi mon manteau et mes clés de voiture avant de me diriger vers Das Boot sans trop savoir où j'irais. Puis, mes sens ont picoté, et j'ai su que Hunter se trouvait à proximité. J'ai senti une bouffée d'exultation et d'alarme quand sa voiture s'est garée devant ma maison.

Je me suis dirigée vers sa voiture en m'adjurant de me calmer, de paraître normale. Il a baissé sa vitre pour poser son regard sur moi.

— Nous avons à parler. Je peux te conduire quelque part ? a-t-il demandé.

— Euh, j'allais seulement faire une promenade, ai-je marmonné. Je ne sais pas réellement où.

— Que dirais-tu de Red Kill ? a-t-il suggéré. Je dois me procurer des huiles essentielles chez Magye pratique. Et il faut que tu discutes avec Alyce.

Je suis donc montée à bord de sa voiture, et nous sommes partis.

— Ce matin, Sky et moi avons examiné les poutres du porche de plus près, a fait Hunter tout en conduisant. Elles ont bel et bien été sciées, mais aucune trace de magye.

— À quoi penses-tu ? ai-je demandé.

— Je ne sais pas, a-t-il dit en tambourinant le volant de ses doigts.

J'ai pensé : était-ce Cal ? Avait-il tenté de tuer Hunter et moi dans un même temps ? Avait-il aussi coupé les conduites de frein de la voiture de Hunter ? Mais pourquoi l'avoir fait de façon mécanique plutôt que d'employer la magye ? Étais-je une pure idiote de ne pas dire à Hunter que j'avais vu Cal ? J'avais l'esprit embrouillé.

Alyce nous a servi le déjeuner dans son petit appartement. Je n'avais pas réalisé que j'avais faim jusqu'à ce que j'hume l'odeur riche du ragoût de bœuf qui remplissait les pièces. Hunter et moi avons englouti notre plat pendant qu'Alyce nous regardait en souriant. Elle s'est attablée avec nous, non pas pour manger, mais pour siroter un thé.

— J'ai réfléchi à ta demande d'effectuer le *tàth meànma brach* avec toi, a-t-elle dit pendant que je me servais une deuxième tranche de pain. Il s'agit d'une expérience sérieuse, et j'y ai grandement réfléchi.

J'ai hoché la tête, mon cœur chavirait à son ton. Elle s'apprêtait à me dire non. J'ai surpris un regard entre Hunter et elle et j'ai eu l'impression que mon appétit me quittait.

— Tu sais, cela peut être très difficile, a poursuivi Alyce. Cette expérience pourrait être très épuisante, tant physiquement qu'émotionnellement, pour nous deux.

J'ai hoché la tête. Je lui en avais trop demandé.

— Mais je comprends pourquoi tu souhaites le faire, pourquoi tu me l'as demandé et pourquoi Hunter pense, lui aussi, qu'il s'agit d'une bonne idée, a dit Alyce. Et je suis d'accord. Je pense que tu es ciblée par le groupe de Selene et que tu as besoin d'une protection supplémentaire que d'autres peuvent t'apporter. Le meilleur type de protection vient de l'intérieur, et en joignant ton esprit au mien et en apprenant ce que je sais, tu seras beaucoup plus forte, beaucoup plus apte à te défendre.

Je l'ai regardée, de l'espoir dans les yeux.

— Est-ce que ça veut dire…

— Tu devras te libérer le plus possible de tes distractions mentales, a doucement expliqué Alyce. Et tu devras effectuer certains rituels préparatoires. Hunter et Sky peuvent t'aider à ce sujet. Faisons-le bientôt — le plus tôt sera le mieux. Demain soir.

De retour dans la voiture de Hunter, en route vers chez moi, je pouvais à peine me contenir. L'idée de pouvoir absorber les connaissances considérables d'Alyce en un seul jour était à la fois exaltante et angoissante.

— Merci d'avoir parlé à Alyce en mon nom, ai-je dit. De l'avoir encouragée à effectuer le *tàth meànma brach* avec moi.

— C'était sa décision.

Il paraissait distant, et j'ai ressenti une montée de frustration au sujet de notre relation. J'ai réalisé pour la première fois que Hunter et moi nous ressemblions et que là était la raison pour laquelle nous nous heurtions si souvent. Avec Cal, tout avait été clair, facile — il avait été le chasseur et moi la proie, ce qui avait bien fonctionné étant donné ma timidité et mon insécurité. Mais tant Hunter que moi aurions été plus à l'aise si l'autre prenait les devants. À ce stade, je devais présumer qu'une raison expliquait les baisers échangés, qui étaient trop nombreux pour ne rien signifier. Hunter n'était pas du genre à embrasser quelqu'un à la légère — moi non plus. Alors, que faisions-nous ? Étions-nous en train de tomber amoureux ?

Je dois me risquer, ai-je réalisé dans un éclair de perspicacité parfaite. Si je veux aller plus loin avec lui, je dois m'ouvrir à lui et croire qu'il ne souhaite pas me blesser. Et je veux aller plus loin avec lui.

Mais d'abord... d'abord, je dois lui parler de Cal. Ce secret était trop énorme pour le garder. Cal représentait autant un danger pour Hunter que pour moi, peut-être même davantage pour lui. Je devais le lui dire en espérant qu'il ne laisse pas ses émotions prendre le dessus sur son bon sens.

J'ai avalé difficilement. Vas-y, me suis-je dit. Dis-lui !

— J'ai vu Cal hier soir, ai-je doucement dit.

À mes côtés, Hunter s'est contracté, ses mains ont serré le volant. Il a furtivement jeté des regards à la droite et à la gauche avant d'engager la voiture sur un chemin de terre que je n'avais pas aperçu. La voiture a rebondi sur les pierres et la boue gelée avant de s'arrêter à environ six mètres de la route principale.

— Quand ? a demandé Hunter en éteignant le moteur et en se tournant vers moi.

Il a défait sa ceinture et s'est penché vers moi.

— Quand ? a-t-il répété. Était-ce quand je t'ai vue sur la route ?

— Oui, ai-je admis. Ce n'était pas un cerf que j'ai vu, mais Cal. Il se tenait sur la route, il a levé la main et mon moteur s'est éteint.

— Qu'est-il arrivé ? Qu'est-ce qu'il t'a fait ?

— Rien. Nous avons simplement parlé, ai-je dit. Il m'a dit qu'il était de retour à Widow's Vale pour être avec moi. Il m'a dit qu'il avait rompu les liens avec Selene.

— Et tu as cru en cette histoire de merde ? s'est exclamé Hunter, des éclairs dans les yeux.

J'ai relevé le menton.

— Oui.

En plus de me blesser, son ton méprisant me donnait l'impression d'être petite.

— J'ai effectué un *tàth meànma* avec lui. Il me dit la vérité.

— Déesse, a craché Hunter. Comment peux-tu être aussi foutrement stupide? Tu avais déjà fait un *tàth meànma* avec lui, ce qui ne l'avait pas empêché de te duper.

— Mais c'est moi qui l'ai contrôlé cette fois-ci! ai-je plaidé.

— Tu *crois* l'avoir contrôlé. Pourquoi m'as-tu menti?

Il a plissé les yeux.

— Il *t'a jeté un sort*!

J'ai frissonné au souvenir du sortilège que Cal m'avait jeté.

— Non. Je venais... je venais de te parler du message de sorcière qu'il m'avait envoyé, et tu avais perdu les pédales, et j'ai pensé que si je te disais qu'il était là, vous vous battriez, et ça me rend malade d'y penser.

— Tu parles que j'ai perdu les pédales! a lancé Hunter en haussant le ton. Bon Dieu, Morgan. Nous sommes à la recherche de Cal et de Selene depuis trois semaines à présent! Et soudain, tu me dis: «Devine quoi? Je sais où il est.» À quel foutu jeu joues-tu?

Je détestais sa façon de me regarder, comme s'il mettait en question sa confiance en moi, s'il avait jamais eu confiance en moi, et, horrifiée, j'ai fondu en larmes. Je ne pleure pas aisément devant les autres et j'aurais beaucoup donné pour ne pas avoir pleuré à ce moment-là, mais comme tout semblait s'effondrer sur moi au même moment, je me suis écroulée.

— Je ne joue pas! ai-je dit en essuyant furieusement mes larmes. Je suis seulement confuse, humaine! J'aimais Cal et je ne veux pas vous regarder vous entretuer!

— Tu n'es pas *seulement* humaine, Morgan, a fait Hunter. Tu es une sorcière. Tu dois commencer à te conformer à ce fait. Que veux-tu dire par «j'aimais Cal»? Qu'est-ce que ç'a à voir avec tout le reste? Il a tenté de te tuer! Es-tu stupide? Aveugle?

— Ce n'était pas sa faute! ai-je crié en apercevant la fureur enflammée dans les yeux de Hunter. Tu le sais, Hunter. Il a grandi avec Selene pendant dix-huit ans. Que serais-tu devenu dans cette situation?

J'ai pris deux respirations rapides et râlantes pour reprendre le contrôle sur moi.

— Je ne suis pas aveugle. Peut-être que je suis stupide. Je suis surtout confuse et effrayée et tentée.

Il a plissé les yeux avant de saisir mes mots comme un serpent fondant sur un rat.

— Tentée ? Tentée par quoi ? Le côté obscur ? Ou par Cal ? C'est ça, hein ? Essaies-tu de me dire que tu l'aimes toujours ?

— Non ! Oui ! Cesse de déformer mes mots ! Tout ce que je dis est que je l'ai aimé et que je pensais qu'il m'aimait. Je n'ai pas oublié ça ! ai-je hurlé. Il m'a fait découvrir la magye. Avec lui, je me sentais belle !

Je me suis abruptement tue. Ma respiration était difficile.

Un silence lourd s'est installé dans la voiture. Je sentais que Hunter luttait pour maîtriser sa colère. Que suis-je en train de faire ? ai-je songé d'un air lamentable.

Puis, son visage s'est adouci. J'ai senti sa main sur mon cou, repoussant mes cheveux et caressant ma peau. Mon souffle est resté pris dans ma gorge, et je me suis tournée vers lui.

— Je suis désolée, ai-je murmuré.

Sous ses doigts, j'avais l'impression que ma peau prenait feu.

— Qu'est-ce que tu veux? Je sais que tu étais heureuse avec Cal et je veux que tu sois heureuse avec moi. Mais je ne suis pas Cal et je ne le serai jamais, a-t-il dit.

Son visage était près du mien. Sa voix était douce.

— Si c'est moi que tu veux, dis-le-moi. J'ai besoin que tu me le dises.

J'ai écarquillé les yeux. Cal avait toujours été plus convaincant, celui qui prenait les décisions, qui me cajolait, qui me séduisait. Pourquoi Hunter me demandait-il de me rendre vulnérable?

Comme s'il pouvait lire mes pensées, il a poursuivi :

— Morgan, je peux te dire et te montrer ce que je veux. Mais si *tu* ne sais pas ce que tu veux, je ne veux pas aller là. *Tu* dois savoir ce que tu veux et tu dois être en mesure de me le dire et de me le montrer.

Ses yeux étaient grands et vulnérables ; ses lèvres étaient chaudes et près des miennes.

Oh mon Dieu, ai-je pensé.

— Me laisser te désirer ne suffit pas, a-t-il continué. J'ai besoin que tu me désires en retour et que tu sois capable de me le montrer. J'ai besoin d'être désiré, moi aussi. Tu comprends ce que je veux dire ?

J'ai lentement hoché la tête, affairée à classer une centaine de pensées.

— Es-tu capable de me donner ça ?

J'avais l'impression que mes yeux étaient énormes et je me suis demandé si je le pouvais ; si j'étais assez brave. Je n'ai rien dit.

— Voilà, a-t-il fait.

Il s'est reculé, et mon corps a fait « non, non », et il a démarré la voiture, a reculé et a repris la route vers Widow's Vale. Devant ma maison, il s'est arrêté et s'est à nouveau tourné vers moi.

— Je dois aller à la recherche de Cal, a-t-il dit. Tu le sais, n'est-ce pas ?

J'ai hoché la tête à contrecœur.

— Ne lui fais pas de mal, ai-je dit, presque dans un murmure.

— Je ne peux pas te le promettre, m'a-t-il dit. Mais je vais faire mon possible. Réfléchiras-tu à ce que je t'ai dit?

J'ai à nouveau hoché la tête.

Hunter a pris mon menton dans sa main avant de déposer une série de baisers furieux et rapides sur mes lèvres, encore et encore, goulûment, et j'ai lâché un petit bruit tout en lui ouvrant la bouche. Enfin, il s'est retiré, le souffle rauque, et nous nous sommes regardés. Il a embrayé la voiture. Étourdie, je suis sortie et je me suis engagée dans notre allée.

# 11

# Le cimetière

Beltane, 1979

Je suis mariée depuis moins de vingt-quatre heures et déjà, mon nouvel époux menace de me quitter. Il est persuadé que la cérémonie était mon œuvre, qu'elle n'était pas ce à quoi il s'attendait, que je n'ai pas respecté ses désirs, etc. Tout ira bien. Il doit se calmer, se détendre et oublier ses peurs. Alors, nous pourrons nous parler, et il verra que tout est bon, tout est bien — nous sommes faits l'un pour l'autre.

Pourquoi ai-je épousé Daniel Niall? Parce que je n'ai pas pu m'en empêcher. Parce que je le désirais trop ardemment pour le laisser filer. Parce que j'avais besoin d'être l'objet de ses désirs : celle

avec qui il partagerait sa vie et qu'il retrouverait à
la maison. Ma mère aurait approuvé cette union.
Quiconque me connaît réellement pense que je suis
tombée sur la tête. Notre mariage a eu lieu hier
soir, et à mes yeux, la cérémonie était belle, puissante et primitive. Quand nous nous sommes tenus
nus, sous la pleine lune mûre, entourés des membres de Turneval qui entonnaient des chants, de
l'odeur enlevante des herbes qui brûlent, notre peau
grésillant sous la chaleur du feu de joie, j'ai eu
l'impression d'être la Déesse, fertile et pleine de
vie. À mes yeux, il était si naturel de s'étreindre et
d'ouvrir nos bouches pour nous embrasser que je me
suis blottie contre lui. Et comment pouvait-il ne
pas y répondre? Nous étions nus, je le séduisais,
et la lune était pleine. Bien sûr qu'il y a répondu.
Mais sa réponse physique (si publique, devant des
témoins) lui était intolérable. Pour Daniel, c'était
là un signe d'humiliation, de dégradation.

*Comment vais-je réconcilier ces deux sphères de ma vie? Comment puis-je garder le secret sur mon travail au sein d'Amyranth? Comment puis-je protéger Daniel d'Amyranth?*

*Je devrai résoudre les problèmes à mesure qu'ils se présentent.*

*— SB*

Dimanche, j'ai à nouveau manqué la messe tout en tentant d'ignorer le regard désapprobateur de ma mère. Papa et elle ont essayé de me convaincre d'aller les rejoindre au Widow's Vale Diner pour le déjeuner après la messe, mais comme j'effectuais un jeûne pour purifier mon corps en prévision du *tàth meànma brach* avec Alyce, j'ai refusé. Je me suis plutôt réfugiée dans ma chambre afin de méditer. Alyce m'avait recommandé de méditer pendant au moins trois heures le jour du rituel afin de libérer mon esprit et ma psyché de tendances négatives et de pensées parasites, si je puis m'exprimer ainsi.

À 11 h, je mourais de faim. Mon estomac avait soif de Coke diète et de Pop Tarts, mais j'ai résisté, vertueuse.

À midi, je venais tout juste de sortir mon autel du placard quand Hunter a téléphoné. D'une voix neutre, il m'a indiqué avoir visité l'ancienne maison de Selene et de Cal ainsi que deux ou trois autres endroits à la recherche de Cal, sans résultat.

— Je sais qu'il est passé par là : je sens des traces de sa présence, a fait Hunter. Mais partout où je vais, je constate qu'il s'est déjà installé plus loin, et je ne sais pas où. Je ne pensais pas qu'il était assez habile pour camoufler sa piste une fois que je l'avais retracée, mais on dirait bien que oui.

J'ai décidé que le temps était venu de changer de sujet.

— Je n'arrive pas à croire que le *tàth meànma brach* aura lieu ce soir, ai-je dit. Je suis un peu nerveuse. Devrais-je l'être ?

— Oui, a fait Hunter. Mais présente-toi chez moi à 15 h, et nous t'aiderons à te préparer. Tu dois boire un thé et prendre un bain rituel afin d'être bien purifiée. Et tu devras revêtir une robe de lin verte. Sky en possède une. Dis à ta mère et à ton père que tu dîneras avec nous et que tu rentreras assez tard.

— OK, ai-je dit à la fois effrayée et hésitante.

Sa voix s'est adoucie.

— Tout ira bien, Morgan, a-t-il dit. Tu es forte. Encore plus que tu ne le crois.

Après nous être dit au revoir et avoir raccroché, je suis retournée dans ma chambre. J'ai ouvert un livre de sortilèges qu'Alyce m'avait prêté et j'ai commencé à lire le sortilège de purification qu'elle avait souligné, mais mon estomac ne cessait de me distraire. Soudain, alors que je m'efforçais de ne pas penser à la nourriture, j'ai réalisé que mon cerveau était toujours incroyablement rempli de Cal. Je pensais à lui, je me posais des questions sur lui, je rêvais de lui.

C'est alors que j'ai dû reconnaître que je devais lui parler afin de savoir une fois pour toutes à quoi m'en tenir. Je devais enterrer tous mes sentiments pour lui sans quoi je ne pourrais jamais passer à autre chose et je ne pourrais pas participer au *tàth meànma brach*. Je devais me rapprocher de lui, d'une manière ou de l'autre, afin de dissiper toute confusion à son sujet.

Je savais que ça pourrait être dangereux. Mais je savais aussi que je devais le faire. Avant de me donner l'occasion de changer d'idée, je me suis rendue à l'ancien cimetière méthodiste, là où mon ancienne assemblée, Cirrus, avait célébré la fête de Samhain. Là où Cal m'avait embrassée pour la première fois.

La journée était claire, froide, ensoleillée de cette clarté tout hivernale et pratiquement sans vent. Assise sur la vieille pierre tombale qui nous avait déjà servi d'autel, j'étais presque tremblante, sous la force de la nervosité, de l'adrénaline et du jeûne. Cal viendrait-il ? Essaierait-il de me refaire du mal ? La seule façon de le savoir était de l'appeler. J'ai fermé les yeux en tentant d'ignorer les grognements de mon estomac et j'ai envoyé un message de sorcière à Cal. *Cal. Viens me voir, Cal.* Puis, je me suis rassise et j'ai attendu.

Auparavant, quand j'avais appelé Cal, il était venu en quelques minutes. Cette fois-là, l'attente a semblé interminable. J'ai eu le temps de ne plus sentir mes fesses engourdies par la pierre froide avant qu'il n'apparaisse, avançant doucement entre les genévriers sauvages. Mes yeux ont enregistré sa présence, et j'étais contente d'être en plein jour et non seule sur une route sombre.

— Morgan.

Sa voix était aussi douce que la brise, et je l'ai sentie davantage que je l'ai entendue. Il avançait vers moi sans faire un bruit, comme si les feuilles mortes sous ses pieds étaient silencieuses. Mes yeux étaient attirés vers son beau visage, qui était à la fois méfiant et plein d'espoir.

— Merci d'être venu, ai-je dit.

J'ai su soudain, sans aucun doute, qu'il avait marqué une pause pour balayer les alentours et s'assurer que j'étais bien seule. La dernière fois que nous nous étions trouvés à cet endroit, il m'avait maîtrisée pour me kidnapper à bord de ma voiture. Cette fois-ci, malgré une certaine peur qui persistait, je me sentais plus forte et mieux préparée. Cette fois-ci également, j'étais prête à appeler Hunter à tout moment.

— J'étais si heureux d'avoir de tes nouvelles, a-t-il dit en s'approchant pour se tenir devant moi.

Il a avancé les mains pour les poser sur mes genoux, et j'ai eu un mouvement de recul devant cette familiarité.

— J'ai tellement de choses à te dire. Tellement de choses que tu dois savoir, tellement de choses à partager avec toi. Mais j'ignore à quel point Gìomanach t'a influencée.

Il a craché le nom d'assemblée de Hunter, et j'ai froncé les sourcils.

— Cal, je dois savoir, ai-je commencé en allant droit au but. As-tu réellement rompu les liens avec Selene ? Veux-tu vraiment l'arrêter ?

Il a à nouveau posé ses mains sur mes genoux. Elles étaient chaudes à travers mes jeans, contre ma peau froide.

— Oui, a-t-il dit en se penchant vers moi. C'est terminé avec Selene. Elle est ma mère, et je lui ai toujours porté une loyauté de fils. Ce n'est pas difficile à croire, n'est-ce pas ? Mais à présent, je réalise que ce qu'elle fait est mal : qu'elle fait fausse route en invoquant les ténèbres. Je ne veux pas y participer. C'est toi que je choisis, Morgan. Je t'aime.

J'ai repoussé ses mains de sur mes genoux. Il s'est rembruni.

— Je me souviens d'une époque où tu ne me repoussais pas, a-t-il dit. D'une époque où tu ne te lassais pas de moi.

— Cal, ai-je commencé, puis ma colère a pris le dessus sur ma compassion. C'était avant que tu essaies de me tuer, ai-je dit d'une voix forte.

— J'essayais de te sauver ! a-t-il insisté.

— Tu essayais de me contrôler ! ai-je rétorqué. Tu m'as jeté des sortilèges de ligotage ! Si tu avais été honnête sur les intentions de Selene, j'aurais pu prendre ma propre décision sur quoi faire et comment me protéger. Mais tu ne m'as pas laissé cette chance. Tu voulais avoir tout le pouvoir ; tu voulais décider ce qui était le mieux.

Dès que j'ai prononcé ces paroles, j'ai réalisé que tout était vrai et j'ai réalisé que je n'avais jamais pleinement eu confiance en Cal — jamais.

— Morgan, a-t-il commencé d'une voix raisonnable qui m'exaspérait, tu venais de découvrir la Wicca. Bien entendu que j'essayais de te guider, de t'enseigner les choses. C'est là une des responsabilités d'une sorcière initiée. J'en sais tellement plus que toi : tu as vu ce qui est arrivé avec le sortilège que tu as préparé pour Robbie. Tu es un danger tant pour toi que pour les autres.

Ma bouche s'est ouverte sur le coup de la furie, mais il a continué.

— Cela ne signifie pas que je t'aime pas plus que tu ne puisses l'imaginer. Je t'aime, Morgan, c'est vrai. Je t'aime tellement. Tu me complètes. Tu es ma *mùirn beatha dàn* — l'autre moitié de mon âme. Nous sommes faits pour être ensemble. Nous sommes faits pour faire de la magye ensemble. Nos pouvoirs pourraient être les plus imposants jamais vus. Mais nous devons nous unir.

J'ai avalé ma salive. C'était tellement difficile. Pourquoi ceci me blessait-il toujours autant, malgré tout ce que Cal m'avait fait ?

— Non, Cal. Nous ne serons pas ensemble. Nous ne sommes pas des *mùirn beatha dàns*.

— C'est ce que tu crois maintenant, a-t-il dit, mais tu as tort.

J'ai plongé le regard dans ses yeux dorés pour y déceler un éclair qui ressemblait à la folie. Déesse ! Mon sang s'est glacé, et je me suis trouvée tellement stupide de l'avoir rencontré seule.

— Morgan, je t'aime, a dit Cal d'une voix cajoleuse.

Il s'est rapproché de moi, ses yeux affichant le regard qui, par le passé, m'avait toujours fait fondre.

— Sois mienne, je t'en prie.

Ma respiration est devenue plus superficielle pendant que je me demandais comment je m'extirperais de cette situation. Il n'était pas le Cal que je connaissais. Cette personne avait-elle déjà existé ? Je n'aurais pas pu le dire. Tout ce que je savais était qu'à ce moment-là, je devais m'éloigner de lui. Il m'effrayait. Il me *dégoûtait*.

Comme ça, comme la flamme d'une bougie éteinte du bout des doigts, tout amour qu'il me restait pour lui était mort. Je l'ai senti dans mon cœur, comme si un sombre tesson de verre avait été retiré de mon cœur pour y laisser une plaie saignante. Ma gorge s'est serrée, et j'aurais voulu pleurer, déplorer la mort de la Morgan naïve qui avait déjà été incroyablement heureuse dans cette fausseté.

— Non, Cal, ai-je dit. Je ne peux pas.

Son visage s'est assombri, et il m'a regardée.

— Morgan, tu n'as pas l'esprit clair, a-t-il fait d'une voix qui se voulait un avertissement. C'est moi. Je t'aime. Nous sommes amants.

— Nous n'avons *jamais* été amants, ai-je dit. Et je ne t'aime pas.

— Morgan, écoute-moi, a fait Cal.

— Tu arrives trop tard, Sgàth, a lancé la voix de Hunter, froide et dure, et Cal et moi avons sursauté.

Comment était-il arrivé ici sans que nous sentions sa présence ?

— Tu n'as rien à chasser ici, Gìomanach, a craché Cal. Aucune vie à détruire, aucune magye à retirer.

J'ai senti une vague de pouvoir se lever en Cal, et je suis descendue en vitesse de la pierre tombale. J'avais déjà été piégée entre Cal et Hunter durant une bataille. Je ne souhaitais pas revivre ce moment.

— Hunter, pourquoi es-tu ici ? ai-je demandé.

— J'ai senti une force sombre ici. Je suis venu vérifier, a-t-il dit, la voix serrée, sans quitter Cal des yeux. C'est mon travail. C'est toi qui as coupé les conduites de frein, n'est-ce pas, Sgàth ? C'est toi qui as scié les poutres de l'escalier.

— C'est moi, a dit Cal en adressant un rictus à Hunter, montrant les dents comme une bête sauvage. Ne te demandes-tu pas ce que j'ai d'autre en réserve ?

— Pourquoi ne pas avoir usé de magye ? a insisté Hunter. Est-ce parce que sans Selene, tu n'as rien ? Aucun pouvoir ? Aucune volonté ?

Cal a plissé les yeux et serré les poings.

— Je n'ai pas usé de magye parce que tu ne mérites pas que je la gaspille sur toi. Je suis plus fort que tu ne le seras jamais.

— Seulement quand tu es avec Morgan, a dit Hunter d'une voix froide. Pas quand tu es seul. Tu n'es rien, seul. Morgan le sait. C'est pour ça qu'elle est ici.

Je m'apprêtais à dire que ce n'était pas vrai, mais Cal s'est retourné contre moi.

— Toi! Tu m'as attiré ici pour me livrer à lui.

— Je voulais te parler! ai-je crié. J'ignorais que Hunter serait ici.

Hunter a posé un regard implacable sur moi.

— Comment as-tu pu me jouer dans le dos après notre discussion? a-t-il demandé d'un ton froid et calculé. Comment peux-tu toujours *l'aimer*?

Il a brusquement pointé une main vers Cal.

— Je ne l'aime pas! ai-je hurlé.

Au même moment, Cal a avancé ses mains tout en entonnant un sortilège dans une langue qui m'était inconnue, mais d'une sonorité laide et gutturale.

Un grognement sourd s'est échappé de la bouche de Hunter. J'ai retenu mon souffle en voyant l'athamé dans sa main et le seul saphir de son manche lancer des éclairs sous le soleil hivernal bas. En reculant, j'ai vu Cal et lui se faire face, de même que la violence qui allait éclater à tout moment. Maudits soient-ils ! Je ne pouvais revivre une telle chose, revoir Cal et Hunter s'entretuer pendant que je restais figée sur place et qu'un athamé quittait ma main pour franchir le froid intense...

Non. Ceci était survenu à un autre moment, à un autre endroit. Et avec une autre Morgan. J'ai senti le pouvoir s'élever en moi comme une tempête. Je devais mettre fin à cet affrontement. Je le devais.

— *Clathna berrin, ne ith rah.*

Les mots celtiques anciens s'échappaient de mes lèvres, et je les crachais dans la lumière du jour. Hunter et Cal se sont retournés vivement pour me regarder, les yeux écarquillés.

— *Clathna ter, ne fearth ullna stàth*, ai-je dit d'une voix plus solide. *Morach bis, mea cern, cern mea.*

Je savais exactement ce que je faisais, mais j'ignorais d'où venaient ces paroles ou comment je les savais. J'ai ouvert grand les bras pour les envelopper tous les deux et je les ai vus avec une joie étrange et féroce fléchir les genoux et tomber sur le sol, l'un après l'autre.

— *Clathna berrin, ne ith rah !* ai-je crié.

Et ils sont tombés à quatre pattes, impuissants devant le pouvoir de ma volonté.

Déesse, ai-je pensé. J'avais l'impression d'être sortie de mon corps pour voir cet être étrange et effrayant qui contrôlait la gravité terrestre du bout de ses doigts. En tenant mon bras droit tendu pour maintenir Cal en place, je me suis approchée lentement de Hunter.

Il ne parlait pas, mais quand j'ai aperçu la fureur enflammée dans ses yeux, j'ai su qu'il était impossible de le libérer pour l'instant. J'ai pointé un doigt vers lui.

— Lève-toi, lui ai-je ordonné.

Lorsque j'ai levé la main, il a pu se lever, comme une marionnette.

— Va dans ma voiture.

En trébuchant comme un automate, Hunter s'est dirigé vers Das Boot. Je l'ai suivi à reculons en tenant Cal sous mon pouvoir. Maladroitement, Hunter s'est hissé sur le siège du passager pendant que je prenais mes clés de la main gauche. Puis, j'ai dessiné des *sigils* dans le ciel — des *sigils* que je ne me souvenais pas avoir appris — qui maintiendraient Cal immobile jusqu'à ce que nous soyons loin.

Puis, j'ai bondi sur le siège du conducteur, j'ai enfoncé la clé dans le démarreur, j'ai appuyé sur l'accélérateur et j'ai pris la poudre d'escampette.

J'ai libéré Hunter après m'être garée devant sa maison et j'ai soudain ressenti ses muscles se contracter à mesure qu'il en reprenait le contrôle.

J'avais peur de le regarder, de penser à ce que j'avais fait. On aurait dit que mon pouvoir avait pris le dessus, que ma magye avait pris le contrôle sur moi et non le contraire. Peut-être que je tentais seulement de trouver une excuse pour avoir agi d'une façon aussi impardonnable.

J'ai senti le regard furieux et brûlant de Hunter sur moi. Il a fermé la portière de la voiture avec fracas avant de marcher de façon mal assurée jusqu'à sa maison. Je me sentais faible et j'étais aux prises avec un mal de tête en raison de mon jeûne et d'un trop grand usage de la magye, mais je savais que je devais parler à Hunter. Je suis sortie de Das Boot pour le suivre dans la maison.

À l'intérieur, Sky a levé les yeux quand je suis entrée et, en apercevant mon expression troublée, elle a pointé l'escalier sans dire un mot. J'étais déjà montée à l'étage une fois sans prêter attention aux détails. Cette fois-ci, j'ai regardé dans une pièce : la chambre de Sky, du moins je l'espérais, étant donné qu'un soutien-gorge noir était étendu sur le lit. Je suis passée devant une petite salle de bain au plancher carrelé noir et blanc pour ensuite arriver à l'autre pièce, et j'ai su qu'il s'agissait de la chambre de

Hunter. La porte était entrebâillée, et je l'ai ouverte sans cogner : hardie Morgan.

Il était couché sur le lit, les yeux rivés au plafond, toujours vêtu de son blouson de cuir et de ses bottes.

— Sors d'ici, a-t-il dit sans me regarder.

Je ne savais pas quoi dire. Il n'y avait rien à dire à ce moment-là. Je me suis plutôt contentée de laisser tomber mon manteau sur le sol et de me diriger vers le lit qui était constitué, en fait, d'un sommier et d'un matelas double empilés sur le sol, soigneusement recouverts d'un édredon en duvet usé jusqu'à la corde.

Hunter s'est crispé et m'a jeté un regard incrédule quand je me suis couchée près de lui. J'étais convaincue qu'il me pousserait hors du lit, mais il est resté immobile et, avec hésitation, je me suis rapprochée de lui jusqu'à ce que je sois couchée à ses côtés. J'ai posé la tête sur son épaule et je me suis blottie contre lui en enroulant mon bras contre sa poitrine et en passant une jambe sur la sienne. Son corps était rigide. J'ai fermé les yeux et j'ai tenté de sombrer en lui.

— Je suis si désolée, ai-je murmuré en priant qu'il me permette de rester assez longtemps pour lui présenter de vraies excuses. Je suis si désolée. Je ne savais pas quoi faire d'autre. J'ignorais ce qui allait arriver. Je ne pouvais supporter de vous voir vous faire du mal, ou encore pire. Je suis désolée.

Un bon moment est passé avant qu'il ne se décontracte, et il lui a fallu encore plus de temps pour que sa main caresse mes cheveux et me serre contre lui. La nuit tombait dehors : il se faisait tard, et je n'avais pas encore bu la tisane spéciale que je devais consommer avant d'effectuer le *tàth meànma brach*. Mais je suis restée là, couchée avec Hunter alors qu'il me caressait lentement les cheveux, et j'ai eu l'impression d'avoir trouvé un refuge, ce qui différait complètement de ce que j'avais ressenti avec Cal. J'ignorais si Hunter pourrait me pardonner : je n'étais jamais réellement parvenue à pardonner Cal de m'avoir fait subir le même sort. Mais j'espérais que, d'une manière ou de l'autre, comme Hunter était plus mature que moi, qu'il était une meilleure personne que moi, qu'il trouverait un moyen de ne pas m'en vouloir à jamais.

C'est à ce moment que j'ai réalisé l'importance incroyable que j'accordais à l'opinion qu'il avait de moi, à quel point ses sentiments m'importaient et à quel point je souhaitais désespérément qu'il se soucie de moi, qu'il m'admire — de la même façon que je me souciais de lui et que je l'admirais.

Enfin, j'ai pris une grande inspiration et je lui ai dit :

— Je t'aime. C'est toi que je veux. C'est le bon choix.

Et Hunter a répondu « Oui » avant de m'embrasser et d'ouvrir comme un univers en moi. J'ai eu une impression d'infini, d'intemporalité et quand j'ai ouvert les yeux pour regarder Hunter, il était entouré d'une lueur dorée, comme s'il était le soleil même.

Magyque.

# 12

# Le brach

27 février 1980

Daniel est de retour en Angleterre, encore une fois. Il est parti depuis deux semaines, et j'ignore quand il sera de retour. Il revient toujours, cependant. Je ressens une forte tentation de lui jeter un sortilège d'invocation pour le ramener à moi plus tôt, mais j'y ai résisté. Et je trouve une certaine satisfaction dans le fait qu'il me revient toujours parce qu'il ne peut s'en empêcher et non parce que je l'y contrains.

Est-ce un mariage? Ce n'est pas le mariage de mes parents — tranquille, posé, en duo. Quand Daniel et moi sommes ensemble, nous crions, nous

nous disputons, nous nous battons et nous nous méprisons, puis nous luttons, nous tombons au lit et nous faisons l'amour avec une passion qui est aussi liée à l'amour qu'à la haine. Par la suite, je revois sa beauté : pas seulement sa beauté physique, mais sa douceur intérieure, la bonté en lui. Ce que j'aime et j'apprécie, même si cette beauté jure horriblement avec ce qui se trouve en moi.

Nous vivons quelques moments de calme et de douceur pendant lesquels nous nous tenons la main et nous embrassons doucement. Puis, Amyranth se pointe ou ses études l'appellent, et nous redevenons deux chats en colère, attachés dans un sac de toile et jetés dans une rivière, désespérés, toutes griffes sorties et nous débattant pour survivre coûte que coûte. Et il s'en va, et je me plonge dans Amyranth, que je ne pourrais jamais abandonner, je le sais. Puis, Daniel me manque et il revient, et le cercle recommence.

Est-ce un mariage? C'est le mien.

— SB

J'ignore combien de temps je suis restée couchée près de Hunter. Éventuellement, sa respiration m'a indiqué qu'il était endormi. Je ne pensais pas qu'il m'avait pardonné tout simplement parce que je lui avais dit que je l'aimais et parce qu'il m'avait embrassée. Étais-je volage de tomber amoureuse de quelqu'un d'autre si tôt après ma rupture avec Cal? Est-ce que je m'enlignais pour un autre chagrin amoureux? Hunter m'aimait-il? Je sentais que oui. Mais j'ignorais si nous avions un avenir, où notre relation nous mènerait, pendant combien de temps elle durerait. Ces questions devraient attendre : à présent, il était plus que temps de me préparer pour mon *tàth meànma brach*.

Avec soin, je me suis déroulée et j'ai quitté la pièce. Tenant mes chaussures dans une main, je suis descendue au rez-de-chaussée. Sky était dans la cuisine, affairée à lire le journal et à boire une boisson chaude et fumante versée dans une tasse. Elle m'a jeté un regard impatient.

— Je t'expliquerai tout plus tard, lui ai-je dit, ressentant une grande fatigue.

— Il se fait tard, a-t-elle dit après un moment. Il est presque 17 h. Je vais te préparer ta tisane spéciale.

Elle en a concocté toute une théière, et j'ai commencé à le boire, obéissante. La tisane avait le goût de la réglisse, du bois, de la camomille et d'autres ingrédients que je ne pouvais pas identifier.

— Qu'est-ce que cette tisane fera ? ai-je demandé en vidant ma tasse.

— Eh bien… a fait Sky.

J'ai obtenu la réponse avant qu'elle ne termine sa phrase. Le secret de la tisane était qu'il s'agissait d'un purifiant pour le système qui complétait les effets du jeûne et de la consommation d'eau. Je me suis repliée sous l'effet d'une crampe d'estomac. Sky, qui s'efforçait de ne pas sourire, a pointé du doigt la salle de bain du rez-de-chaussée.

Entre deux crises de, hum, évacuation, j'ai médité et j'ai discuté avec Sky. Je lui ai raconté ce qui était arrivé avec Cal, et elle m'a écoutée avec une compassion étonnante. Pensivement, j'ai espéré que mon sortilège de ligotage ne faisait plus effet et que Cal n'était plus coincé au froid, dans le cimetière. Probablement que non. Où se trouvait-il à présent ? Quelle était l'ampleur de sa colère ? Avait-il laissé mon amour pour lui mourir, comme je l'avais fait ?

À un moment donné, Sky m'a demandé :

— Comment te sens-tu ?

— Vide, ai-je dit d'un ton morne.

Elle a ri.

— Tu en seras heureuse plus tard, a-t-elle dit. Crois-moi. J'ai vu des gens effectuer un *brach* sans d'abord nettoyer leur système et jeûner, et ils l'ont amèrement regretté.

J'ai reniflé l'air.

— Qu'est-ce que c'est ?

— Des lasagnes, a admis Sky. Il est presque 19 h.

— Oh, Jésus, ai-je gémi.

Je me sentais creuse, affamée et épuisée.

— Tiens, a brusquement dit Sky en me tendant un paquet de lin vert pâle. C'est pour toi. Je t'ai fait coulé un bain à l'étage et y ait versé des herbes et des huiles puri-fiantes, entre autres. Laisse-toi bien tremper dans la baignoire et tu te sentiras mieux.

Ensuite, enfile ceci sans porter quoi que ce soit d'autre en dessous. Aucune culotte, aucun bijou, aucun verni à ongles et rien dans les cheveux. Ça marche ?

J'ai hoché la tête avant de gravir les marches. Hunter se trouvait dans la salle de bain à l'étage où il avait sorti une serviette drue et non blanchie. J'avais déjà pris une douche ici, mais prendre un bain dans cette maison me paraissait étrangement intime — surtout si tôt après l'avoir embrassé sur son lit. Je me suis sentie rougir, et il m'a jeté un regard indéchiffrable avant de quitter la pièce et de fermer la porte derrière lui.

La salle de bain était charmante, très romantique : les lumières étaient éteintes et les bougies étaient allumées, posées çà et là. De la vapeur s'élevait de la baignoire à pieds en griffes et des pétales de violette, du romarin et de l'eucalyptus flottaient à la surface. J'ai retiré mes vêtements pour me plonger avec bonheur dans l'eau chaude. J'ignore combien de temps j'y suis restée, les yeux fermés, à respirer la vapeur parfumée et à sentir la tension s'évaporer. Une fine couche de sel tapissait le fond de la baignoire ; sel que j'ai utilisé pour frotter ma peau en sachant qu'il contribuerait à me purifier et à dissiper l'énergie négative.

J'ai senti Sky approcher avant qu'elle ne cogne contre la porte et dise :

— Dix minutes. Alyce arrivera sous peu.

Rapidement, j'ai saisi le savon fait maison et une débarbouillette pour frotter chaque centimètre de ma peau. Puis, j'ai shampouiné mes cheveux. J'ai fait couler de l'eau fraîche pour me rincer avant de me frotter avec force à l'aide de la serviette rêche pour bien m'essuyer. Je me sentais comme une déesse : propre, légère, pure, presque éthérée. Les événements horribles de la journée se sont évanouis, et je me suis sentie prête pour tout, comme si je pouvais réorganiser les étoiles dans le ciel d'un simple geste de la main.

J'ai démêlé mes longs cheveux humides à l'aide d'un peigne en bois trouvé dans la pièce avant d'enfiler la robe verte. Enfin, je me suis glissée au rez-de-chaussée, pieds nus, pour rejoindre Alyce, Sky et Hunter, qui m'attendaient dans la pièce des cercles. Incertaine, je me suis arrêtée dans l'embrasure de la porte, et ma première pensée a été : Hunter sait que je suis nue sous cette robe. Mais rien sur son visage ne trahissait cette connaissance. Puis, Alyce s'est avancée, les mains tendues vers moi, et nous nous sommes enlacées. Elle portait une robe lavande fort semblable à la mienne, et ses cheveux étaient dénoués pour une fois et retombaient jusqu'au milieu de son dos. Elle paraissait sereine, et je lui étais si reconnaissante de prendre part à cette expérience avec moi.

Sky et Hunter se sont approchés à leur tour pour nous étreindre, et son corps mince serré contre le mien m'a donné une émotion intense. J'ai remarqué qu'il avait déjà commencé à dessiner des cercles de pouvoir sur le sol. Il y en avait trois : un en craie blanche, un fait de sel répandu et le cercle du centre était composé d'une poudre dorée à l'odeur épicée, comme du safran. Treize bougies cylindriques suivaient la courbe du cercle extérieur, et Alyce et moi sommes passées par l'ouverture laissée dans le cercle. Nous

nous sommes assises en tailleur sur le sol, face à face, souriant en nous regardant droit dans les yeux pendant que Hunter fermait les cercles et entonnait des sortilèges de protection.

— Morgan de Kithic et Alyce de Starlocket, acceptez-vous de participer volontairement et en toute connaissance de cause à un *tàth meànma brach* ici, ce soir ? a demandé Sky d'un ton officiel.

— Oui, ai-je répondu en ressentant des bulles de nervosité en moi.

Étais-je prête ? Pourrais-je accepter les connaissances d'Alyce ? Ou deviendrais-je aveugle, comme cette sorcière dont Hunter m'avait parlé ?

— Oui, a fait Alyce.

— Alors, commençons, a dit Hunter.

Sky et lui se sont éloignés des cercles pour s'asseoir, adossés contre des coussins contre un mur éloigné. J'ai eu l'impression qu'ils jouaient le rôle d'éclaireurs, prêts à bondir à notre aide si quoi que ce soit d'étrange devait se produire.

Alyce a avancé les mains pour les poser sur mes épaules, et j'ai imité son geste.

Nous avons penché la tête jusqu'à ce que nos fronts se touchent légèrement ; les yeux toujours ouverts. Ses épaules étaient chaudes, lisses et rondes sous mes mains, et je me suis demandé si les miennes étaient osseuses et drues sous les siennes.

Puis, à mon étonnement, elle s'est mise à chanter mon propre sortilège de pouvoir ; celui qui s'était imposé à moi des semaines plus tôt.

*An di allaigh an di aigh*
*An di allaigh an di ne ullah*
*An di ullah be nith rah*
*Cair di na ulla nith rah*
*Cair feal ti theo nith rah*
*An di allaigh an di aigh.*

Ma voix s'est jointe à la sienne, et nous avons chanté ensemble ; le rythme ancien voguant dans nos veines comme un battement de cœur. Ma tête s'est relevée au fil de notre chanson, et j'ai lu la joie sur le visage d'Alyce — une joie qui la rendait belle ; ses yeux bleu-violet étaient remplis de sagesse et de réconfort. Nous avons chanté, deux femmes liées par le pouvoir, par la Wicca, par la joie, par la confiance. Et doucement, gentiment, j'ai réalisé que les barrières entre nos esprits s'effaçaient.

Ensuite, mes yeux se sont fermés ou, s'ils ne l'étaient pas, je ne voyais plus ce qui m'entourait; je n'étais plus consciente d'où je me trouvais. L'espace d'un instant, je me suis demandé, prise de panique, si j'étais aveugle avant de me perdre dans l'émerveillement. Alyce et moi flottions, jointes, dans une sorte d'espace intime où nous pouvions simultanément voir tout et rien. Dans mon esprit, Alyce m'a tendu les mains en souriant et m'a dit :

— Viens.

Mes muscles se sont contractés à mesure que j'étais attirée vers un tunnel spatiotemporel électrifié, et Alyce a dit :

— Détends-toi. Laisse-les venir.

Et j'ai tenté de relâcher toute trace de résistance en moi. Et alors... Et alors, je me suis retrouvée dans l'esprit d'Alyce. J'étais Alyce, et elle était moi, et nous étions liées. J'ai pris une grande respiration drue pendant que des vagues et des vagues de connaissances déferlaient vers moi, franchissant la crête de mon cerveau, l'atteignant et le heurtant.

— Laisse-les venir, a murmuré Alyce.

Et j'ai réalisé que j'avais à nouveau contracté mes muscles et j'ai tenté de relâcher la tension et la peur pour m'ouvrir à ce qu'elle me donnait. Des volumes de *sigils*, de caractères, de signes et de sortilèges m'ont percutée; des chants, des alphabets anciens et des livres d'apprentissage. Des plantes, des cristaux, des pierres et des métaux et toutes leurs propriétés. J'ai entendu un gémissement aigu et je me suis demandé s'il émanait de moi. Je savais que je souffrais : j'avais l'impression d'être coiffée d'un casque aux pointes en métal qui s'enfonçaient lentement dans mon crâne. Mais ma joie de découvrir la beauté autour de moi était plus forte que la douleur.

Oh, oh, ai-je pensé, incapable de formuler des mots. Des fleurs ont filé vers moi en tourbillonnant dans l'obscurité; des fleurs et des branches affûtées, l'odeur d'une fumée âcre, et soudain, tout est devenu trop intense. J'ai senti la bile monter dans ma gorge et j'étais contente de savoir que mon estomac n'avait rien à vomir.

J'ai eu une vision d'une Alyce plus jeune, aux cheveux bruns, qui portait une couronne de laurier alors que, adolescente, elle tournoyait en dansant autour d'un mât enrubanné. J'ai vu la honte des sortilèges ratés, des charmes n'ayant pas donné les résultats escomptés ; son esprit paniqué et dérouté devant la réprimande sévère d'un enseignant. J'ai senti les flammes du désir lécher sa peau, mais l'homme qui était l'objet de son désir a disparu avant que je puisse voir qui il était. Quelque chose en moi m'a indiqué qu'il était mort et qu'Alyce se trouvait avec lui quand il avait quitté ce monde.

Un chat est passé près de moi, un chat écaille et blanc qu'elle avait profondément aimé ; un chat qui l'avait réconfortée dans son deuil et qui avait calmé sa peur. Son affection profonde pour David Redstone, son angoisse et son incrédulité devant sa trahison ont tourbillonné en moi comme un ouragan, me laissant haletante. Puis, encore d'autres sortilèges et d'autres connaissances ; des pages et des pages apprises dans des livres : des sortilèges de protection, d'ombrage, d'illusion, de force. Des sortilèges pour demeurer éveillé ; pour guérir ; pour aider dans l'apprentissage ; pour assister une femme lors d'un accouchement ; pour réconforter ceux qui souffrent, ceux qui sont en deuil, ceux qui restent après la mort de quelqu'un.

Et des odeurs : pendant toute l'expérience, des odeurs ont bouillonné en moi, me donnant des haut-le-cœur puis m'incitant à inspirer profondément lorsqu'il s'agissait d'odeurs alléchantes comme celles de fleurs et d'encens. Il y a eu de la fumée et l'odeur de la peau qui brûle ; des essences mal concoctées ; de la nourriture offerte à la Déesse ; de la nourriture partagée avec des amis ; de la nourriture servant à des rituels. Il y a eu la senteur forte du sang, cuivrée et aiguë, qui a fait brûler mon estomac, et les odeurs de la maladie, de blessures non soignées, de la pourriture, et je suis devenue haletante — je voulais m'enfuir.

— Laisse-les venir, a murmuré Alyce avant que sa voix ne se brise.

J'aurais voulu dire quelque chose, dire que c'en était trop, qu'il fallait tout ralentir, me donner du temps, que je me noyais, mais je n'ai pu entendre aucun mot, et d'autres connaissances d'Alyce sont venues à moi, m'ont balayée. Ses connaissances de soi profondes m'ont traversée comme une rivière tiède, et je me suis laissée aller, baignée dans le pouvoir qui est lui-même une forme de magye ; le pouvoir de la femme, de la création. J'ai senti les liens profonds d'Alyce avec la terre, les cycles de la Lune. J'ai vu à quel point les femmes sont fortes, l'ampleur de ce que nous pouvons supporter et comment nous pouvons puiser le pouvoir profond de la terre.

J'ai senti un sourire se dessiner sur mes lèvres, les yeux fermés ; la joie s'est gonflée en moi. Alyce était moi, et j'étais elle, et nous étions ensemble. C'était une magye magnifique, qui l'est devenue davantage quand j'ai réalisé qu'autant Alyce envoyait des connaissances vers moi, elle en recevait aussi de moi. J'ai vu sa surprise, voire son respect mêlé de crainte, devant mes pouvoirs ; les pouvoirs que je découvrais lentement et auxquels je m'habituais. Avec enthousiasme, elle s'est nourrie de mon esprit, et j'étais ravie de constater qu'elle était excitée par l'ampleur de ma force, la profondeur de mon pouvoir ; ma magye qui remontait à des milliers d'années, par mon clan. Elle a partagé ma tristesse à propos de Cal et la joie de la découverte de mon amour pour Hunter. Elle a vu toutes les questions que je me posais sur mes parents biologiques, à quel point j'aurais aimé les connaître. Avec joie, je lui ai tout donné, je me suis ouverte à ses pensées, j'ai partagé mon héritage et ma vie.

Et c'est en ouvrant mon esprit pour le partager avec Alyce que je me suis vue : que j'ai vu l'ampleur de ma force et que j'ai réalisé mon potentiel ; j'ai vu la mince et dangereuse ligne entre le bien et le mal sur laquelle je marcherais toute ma vie. Je me suis vue enfant, la fille que j'étais à présent et la femme que je deviendrais. Ma force serait magnifique ; elle inspirerait le respect si je pouvais trouver un moyen de faire de moi une personne entière. J'avais besoin de réponses. J'ai vaguement réalisé que des larmes tièdes roulaient sur mes joues — leur goût salé s'est glissé dans ma bouche.

Lentement, graduellement, nous nous sommes divisées pour redevenir deux personnes — notre ensemble s'est scindé en deux, comme dans une mitose. La séparation était aussi bouleversante et inconfortable que l'union l'avait été, et j'ai regretté la perte d'Alyce dans ma conscience et j'ai senti qu'il en était de même pour elle. Nous nous sommes séparées ; nos mains ont glissé des épaules de l'autre. Puis, ma colonne s'est redressée, et j'ai froncé les sourcils pendant que mes yeux s'ouvraient brusquement.

J'ai regardé Alyce pour constater qu'elle aussi était consciente d'une troisième présence : il y avait Morgan et Alyce et une force sans nom et importune qui s'avançait vers moi et envoyait des vrilles sombres pour influencer mon esprit.

— Selene, ai-je soufflé.

Et Alyce était déjà occupée à lancer des blocages contre la magye noire qui avait rampé autour de nous comme une maladie, comme une fumée, comme un gaz toxique. Le sortilège d'ombrage du mal m'est venu aisément ; je m'en suis souvenue, je l'ai trouvé et, sans effort, j'ai prononcé les mots et j'ai dessiné les *sigils* pour ériger mes propres blocages contre ce que je sentais avancer vers moi. Alyce et moi nous connaissions, possédions les connaissances et l'essence de l'autre, et j'ai fait appel à des connaissances acquises seulement quelques minutes plus tôt pour me protéger de Selene, qui effectuait un présage pour me trouver, pour me contrôler.

Elle est disparue en un instant.

Quand j'ai ouvert les yeux à nouveau, le monde avait retrouvé un aspect relativement normal. J'étais assise sur le plancher en bois de la maison de Sky et de Hunter, et ils étaient agenouillés près de nous, à l'extérieur des cercles, pour nous observer. Devant moi, Alyce a ouvert les yeux et a pris une grande respiration.

— Qu'est-ce que c'était ? a demandé Sky.

— Selene, ai-je répondu.

— Selene, a dit Alyce au même moment. À la recherche de Morgan.

— Pourquoi aurait-elle besoin de me chercher ? ai-je demandé.

— Elle tente davantage d'entrer en communication avec ton esprit, a expliqué Alyce. Pour voir où tu en es, du point de vue de la magye. Voire même pour tenter de te contrôler à distance.

— Mais elle est partie maintenant, non ? a fait Hunter.

Quand j'ai hoché la tête, il a demandé :

— Comment ça s'est passé ? Comment vous sentez-vous ?

Mes yeux ont rencontré ceux d'Alyce. J'ai effectué un inventaire mental.

— Euh, je me sens étrange, ai-je dit avant de m'évanouir.

# 13

# Carbonisés

12 novembre 1980

Un autre jour, une autre dispute avec Daniel. Son antagonisme constant est épuisant. Il déteste Amyranth et tout ce qui y est lié et, bien entendu, il n'en connaît qu'une infime partie. S'il savait quoi que ce soit ressemblant à toute l'histoire, il me laisserait à jamais. Ce qui est complètement inacceptable. J'essaie de résoudre ce dilemme depuis que je l'ai rencontré et je n'ai toujours pas de réponse. Il refuse de voir la beauté de la cause d'Amyranth. J'ai rejeté ses tentatives de me montrer la beauté dans l'approche bon élève de l'apprentissage ; dans la préparation de tisanes à l'ail et au gingembre pour guérir la toux.

Pourquoi suis-je incapable de le laisser partir ? Aucun homme n'a jamais eu une telle emprise sur moi — même pas Patrick. Je veux laisser Daniel partir ; j'ai essayé, mais dès que je souhaite son départ, je me meurs désespérément de le ravoir. Je l'aime tout simplement, je le désire. Je ne suis pas sans voir l'ironie dans tout cela. Quand nous sommes ensemble, nous sommes vraiment, réellement bien, et nous ressentons une joie et un sentiment de complétude que rien ne peut rivaliser et qui ne peuvent être niés. Dernièrement, toutefois, les bons moments semblent s'espacer de plus en plus — nos différences sont profondément irréconciliables.

Si je fais plier la volonté de Daniel par ma magye, à quel point en serait-il diminué ? À quel point le serais-je ?

— SB

Quand je me suis réveillée lundi, je me sentais atrocement mal. J'avais un vague souvenir de Hunter m'ayant reconduite à la maison à bord de Das Boot pendant que Sky nous suivait dans sa voiture. Il avait murmuré quelques mots rapides à mon oreille sur le porche avant, ce qui m'avait permis de marcher, de parler et de paraître relativement normale devant mes parents avant de monter péniblement à l'étage pour m'étendre sur le lit, toujours habillée. Comment ai-je retiré la robe pour remettre mes vêtements ? Pouah ! J'y repenserais plus tard.

— Morgan ? a fait Mary K. en passant la tête par la porte de notre salle de bain. Ça va ? Il est presque 10 h.

— Hum, ai-je marmonné.

Dagda, mon chaton gris, l'a suivie à pas de loup avant de bondir sur mon édredon. Il avait tellement grandi en seulement quelques semaines. En ronronnant, il s'est frayé un chemin sur l'édredon jusqu'à moi, et je me suis approchée de lui pour déposer un baiser sur sa petite tête triangulaire et lui frotter les oreilles. Il s'est effondré, épuisé, avant de fermer les yeux. Je comprenais comment il se sentait.

En fait, je comprenais aussi comment Mary K. se sentait. J'ai ouvert les yeux pour apercevoir ma sœur se mirer dans la glace. Je pouvais sentir ses émotions avec une exactitude et une urgence qui allaient au-delà de la simple intuition d'une sœur. Mary K. était triste et quelque peu perdue. J'ai froncé les sourcils en me demandant ce que je pourrais faire pour l'aider. Puis, elle s'est retournée.

— Je suppose que je vais me rendre chez Jaycee. Peut-être que nous pourrons demander à sa sœur de nous conduire au centre commercial. Il me reste des cadeaux de Noël à acheter.

— Je t'y conduirais, ai-je dit, mais je ne pense pas être capable de sortir du lit.

— Est-ce que tu as attrapé quelque chose? a-t-elle demandé.

Pas exactement, mais…

— C'est probablement juste un rhume, ai-je dit en reniflant pour voir.

— Eh bien, est-ce que tu veux que je t'apporte quelque chose avant de partir?

À la pensée de la nourriture, j'ai ressenti un dégoût monter dans mon estomac.

— Est-ce que nous avons de la boisson gazeuse au gingembre?

— Ouais. Tu en veux?

— D'accord.

J'ai été capable de garder la boisson. Je ne me sentais pas tout à fait malade : seulement épuisée et confuse. D'autres effets secondaires du *brach* se manifestaient également. Ils me rappelaient ce que j'avais ressenti après mon premier cercle avec Cal au sein de Cirrus, mais les effets étaient multipliés par dix. Mes sens me paraissaient encore plus vifs que cette fois-là : je pouvais distinguer les fils distincts dans le jean drapé sur la chaise de mon bureau et apercevoir les grains minuscules de poussière emprisonnés dans la peinture fraîchement appliquée sur les murs de ma chambre. Plus tard au cours de la matinée, j'ai entendu un craquement bizarre provenant du rez-de-chaussée, comme si un termite de cinquante kilos dévorait le sous-sol. Au bout du compte, il s'agissait seulement de Dadga qui mangeait sa moulée pour chat. J'ai senti mes poumons absorber l'oxygène de chaque respiration ; mes cellules sanguines couler dans mes veines, en suspension dans le plasma ; comment chaque centimètre carré de ma peau interprétait et analysait l'air, les tissus ou tout ce qui la touchait.

Je sentais la magye partout, circulant autour de moi et à travers moi, dans l'air, dans tout ce qui était organique, dans les arbres endormis à l'extérieur, en Dagda, dans tout ce que je touchais.

J'ai présumé que cette hypersensibilité déclinerait graduellement. Je l'espérais. C'était merveilleux, mais si j'étais aussi sensible en tout temps, j'en perdrais l'esprit.

Une feuille d'érable d'un brun doré a été emportée par le vent devant ma fenêtre. Elle est venue se poser un instant sur le rebord de la fenêtre, et je l'ai observée en méditant, admirant le réseau complexe de nervures sur sa surface. J'ai presque pu déchiffrer un visage dans les lignes qui se croisaient — une bouche large et ferme, un nez droit, deux yeux dorés...

Déesse. Cal.

Tout de suite après, la feuille a été emportée par une bourrasque et a tangué au loin.

Je me suis couchée sur mon lit, respirant profondément afin de retrouver la paix que je venais de perdre. Mais c'était difficile. Même si, depuis la veille, je ne craignais plus Cal comme je l'avais déjà craint, chaque pensée pour Cal menait à une pensée pour Selene et à la certitude qu'elle était toujours à ma recherche, qu'elle complotait encore afin de me détruire.

Graduellement, j'ai pris connaissance d'une pensée qui tenaillait ma conscience. Ma quête. Ma recherche d'informations sur mes parents biologiques, sur mon héritage. Je n'avais encore rien fait à ce sujet, mais à présent, grâce à la nouvelle clarté obtenue par le *brach*, je reconnaissais à quel point c'était une nécessité. Cette quête me permettrait de me sentir une personne à part entière, d'avoir pleinement accès à mon pouvoir, de faire mien ce pouvoir. Et c'était le seul moyen d'espérer pouvoir vaincre Selene.

Éventuellement, j'ai peiné à me lever et à revêtir des vêtements propres en jugeant la douche inutile. J'ai brossé mes cheveux et mes dents en me disant que cela suffirait du côté de ma toilette pour ce jour-là. Après m'être laissée tomber sur mon lit, j'ai senti Hunter franchir notre allée. J'ai grogné : je désirais le voir, mais je savais que je ne serais jamais capable de me rendre au rez-de-chaussée pour lui ouvrir la porte.

— Hunter, entre, ai-je murmuré en lui envoyant un message de sorcière.

Quelques instants plus tard, j'ai entendu la porte s'entrouvrir et la voix de Hunter qui m'appelait :

— Morgan ?

— Je suis à l'étage, suis-je parvenue à lui dire. Tu peux monter.

Je me suis alors demandé s'il existait un sortilège dans les recoins de mon esprit qui empêcherait ma mère de rentrer à la maison à l'improviste.

Ses pas étaient légers dans les marches, puis, il a passé la tête par l'embrasure de la porte.

— Ça ne pose pas un problème que je sois ici ? a t il demandé.

J'ai souri, ravie qu'il pose la question.

— Je suis seule à la maison, ai-je dit.

— D'accord, a fait Hunter en entrant dans ma chambre. Si nous sentons quelqu'un arriver, je sauterai de la fenêtre.

Il se tenait debout, grand et mince, nouvellement familier, et ses yeux étaient rivés sur moi. Ses cheveux étaient décoiffés en raison de son chapeau et ils formaient des pointes dorées et pâles.

— OK, ai-je dit.

J'ai déployé mes sens avec prudence et j'ai senti qu'il en avait conscience.

— Comment te sens-tu ? a-t-il demandé

— Merdique. Faible. Mais pleine de magye.

Je n'ai pas pu m'empêcher de lui adresser un grand sourire.

Il a émis un grognement théâtral.

— Là, je suis inquiet. Je t'en prie, je t'en supplie, a-t-il dit, n'essaie pas d'user de ta nouvelle magye pour l'instant. Ne jette pas de sorts. Ne parcours pas la ville pour lancer un feu de sorcière à tout le monde. Promets-le-moi.

— Tu n'as pas confiance en mon jugement ou quoi? ai-je fait.

Il s'est approché pour s'asseoir au bout de mon lit et poser une main sur ma jambe recouverte par l'édredon. J'ai commencé à me sentir mieux.

— Oh, a-t-il dit en roulant les yeux. Parce que tu crois qu'il t'arrive parfois de faire preuve de jugement?

Je lui ai donné un coup de pied, puis nous nous sommes souri, et je me suis sentie beaucoup mieux.

— Le *brach* d'hier soir était incroyable, a-t-il dit. Très intense.

— Il l'était, ai-je acquiescé. Comment va Alyce? Tu lui as parlé?

Il a hoché la tête.

— Sky et une autre sorcière de Starlocket sont à ses côtés. Elle se sent à peu près de la même façon que toi. Elle est enthousiaste, par contre. Elle a beaucoup gagné de toi.

— Moi aussi, ai-je lentement dit. Je n'ai pas encore commencé à tout analyser.

— Il te faudra beaucoup de temps, a prédit Hunter.

D'un air absent, il s'est mis à caresser ma jambe, sous mon genou, et je l'ai regardé dans les yeux en me demandant comment j'arriverais à lui dire ce que je devais lui dire.

— Je suis si désolée à propos d'hier, ai-je dit.

Ses yeux se sont assombris. J'ai avalé ma salive.

— C'est seulement que... Je ne pouvais pas passer par cette épreuve à nouveau. La dernière fois, sur la falaise, quand j'ai cru que tu étais mort, que je t'avais tué. Je ne pouvais pas... revivre ça. Je ne pouvais supporter de vous voir vous battre, vous entretuer. Jamais plus.

Son visage était immobile, attentif.

— Je suis si désolée de t'avoir jeté un sortilège de ligotage, ai-je dit. Je sais à quel point c'est horrible. Je n'ai jamais pardonné Cal de me l'avoir fait subir. Et maintenant, je te l'ai fait subir. Mais je ne savais pas quoi faire d'autre pour quitter les lieux et t'emmener avec moi. Je suis tellement désolée, ai-je misérablement conclu.

— Cal doit être arrêté, a doucement dit Hunter. Il doit répondre au Conseil. Et étant donné qui je suis et où je suis, c'est moi qui devrai l'arrêter.

J'ai hoché la tête en essayant d'accepter ce fait.

Hunter m'a caressé le genou, et j'ai senti un tremblement qui partait du bout de ses doigts pour se rendre jusqu'au creux de mon ventre. Il est demeuré silencieux pendant un long moment, puis j'ai pris sa main.

— C'est Yule demain, a-t-il fini par dire.

— C'est vrai. J'ai perdu le fil des jours. J'espère que je serai assez en forme pour célébrer alors.

— Je pense que oui, a-t-il dit en souriant.

— J'aimerais faire quelque chose d'autre demain, ai-je dit. Si je suis capable de bouger.

— Quoi donc?

— Je dois me rendre à Meshomah Falls.

C'était la ville où mes parents biologiques avaient brièvement vécu — et là où ils étaient morts.

— Je veux trouver l'endroit où la grange a brûlé.

— Pourquoi? a-t-il demandé.

— Pour apprendre, ai-je dit. J'ignore tellement de choses. Qui a mis le feu? Pourquoi? Je dois le savoir. J'ai l'impression que je ne serai pas entière tant que je ne le saurai pas. Voilà ce que m'a appris le *brach*.

Hunter m'a regardée pendant un bon moment.

— C'est dangereux, tu sais, a-t-il dit. Avec Cal dans les parages et Selene en route.

Je n'ai rien dit.

Alors, il a hoché la tête.

— D'accord, a-t-il dit. Je viendrai te prendre à 10 h, alors?

Dieu que je l'aimais.

Mardi, Hunter a pris le volant, car j'étais encore un peu faible. Il n'a pas parlé de Cal, sauf pour me dire qu'il ne l'avait pas repéré.

— Je me demande si quelqu'un l'aide, a dit Hunter en se frottant le menton.

Et j'ai pensé à Selene avec une certaine vague de panique. Était-elle arrivée ? Non. Elle ne le pouvait pas. Je n'étais pas prête.

Puis, Hunter m'a pris la main sans dire un mot, et j'ai senti sa force me parcourir pour me calmer. Je suis avec toi, me disait-il silencieusement. Et je me suis soudain sentie mieux, plus légère.

Je m'étais rendue à Meshomah Falls une seule fois et l'endroit me semblait familier à présent. J'ai orienté Hunter vers les limites de la ville. Il y avait un vieux champ à cet endroit, brun clair et sec en raison du froid hivernal. Je suis sortie de la voiture pour me diriger au milieu du champ. Je me sentais toujours faible et vidée, comme si je me remettais d'une grippe.

Les outils de l'assemblée de Maeve se trouvaient dans le coffre de la voiture, mais je les y ai laissés. Je n'en avais pas encore besoin. Hunter est venu se tenir près de moi.

— OK. Trouvons l'emplacement de la vieille grange, a-t-il dit.

Je suis demeurée immobile, les bras légèrement décollés de mes flancs, et je me suis libérée de toutes mes pensées, mes émotions, mes attentes. Bientôt, je ne ressentais plus les rayons du soleil d'hiver sur mon visage ou le vent dans mes cheveux. Mais je pouvais voir l'endroit où la grange s'était trouvée, voir à quoi elle avait ressemblé et à quoi l'emplacement ressemblait à présent. Je l'ai suivi dans mon esprit, traçant la voie à suivre, d'autrefois à aujourd'hui. Quand elle est devenue claire, j'ai ouvert les yeux en ressentant une légère nausée.

— OK. Je l'ai, ai-je dit avant d'avaler.

Je suis retournée à la voiture et au Coke diète qui m'y attendait.

— Tu es certaine d'être assez en forme ? a demandé Hunter alors que je prenais une bonne lampée de la boisson pour ensuite tenir la cannette froide contre mon front.

— Je dois le faire, ai-je dit. C'est… c'est tout.

Il a hoché la tête avant de démarrer la voiture.

— Oui, je pense que tu as raison. Ce soir, lors du cercle de Yule, nous t'enverrons de l'énergie de guérison.

— Prends la prochaine à gauche, ai-je dit en me sentant déjà mieux.

Nous avons trouvé l'emplacement près de quinze minutes plus tard, après nous être perdus à quelques reprises. À l'instar de Widow's Vale, la région était vallonnée et rocailleuse et les routes étroites étaient bordées d'arbres squelettiques et de buissons. Au printemps, le paysage serait magnifique, et en été, il serait incroyablement vert et luxuriant. J'espérais que Maeve avait su trouver une petite dose de bonheur ici ; du moins, pour une courte période de temps.

— C'est là, ai-je dit en pointant soudainement au loin.

J'ai reconnu une petite épinette que j'avais vue dans mon esprit.

— Là.

Hunter a garé la voiture en bordure de la route avant de jeter un regard sceptique au-delà de la limite des arbres. Nous sommes sortis de la voiture, et j'ai rapidement bondi par-dessus une clôture en lattes démodée. Hunter m'a suivie. J'ai avancé parmi les parcelles d'herbes mortes et gelées tout en projetant mes sens, à l'affût des alentours. Il n'y avait pratiquement aucun organisme vivant à cet endroit : aucun oiseau, aucun animal en hibernation dans un nid ou un arbre, aucun cerf ou lièvre nous observant de loin.

— Hummm, a fait Hunter en ralentissant le pas et en balayant les lieux. Que ressens-tu ?

J'ai avalé ma salive.

— J'ai l'impression que nous sommes tout près de quelque chose de vraiment maléfique.

J'ai ralenti le pas pour observer le sol de plus près. Soudain, j'ai fait halte, comme si une main invisible avait poussé contre ma poitrine pour me stopper net. J'ai observé l'endroit de plus près en me concentrant avec force sur le sol entre les parcelles d'herbes. J'ignorais ce que je cherchais, mais je l'ai vue : la base ondulée et brisée d'une fondation en briques. Une grange s'était érigée ici autrefois.

J'ai reculé, comme s'il s'agissait d'une talle d'herbe à puce. Hunter s'est approché de moi et il paraissait mal à l'aise et crispé.

— Et la suite ? a-t-il demandé.

— Je vais aller chercher mes outils, ai-je dit.

J'ai demandé à Hunter de me tourner le dos pendant que je retirais mes vêtements pour enfiler la robe de Maeve. Personne d'autre que ma mère, ma sœur et mon gynécologiste ne m'avait vue nue, et je souhaitais qu'il en demeure ainsi. Du moins, dans l'avenir immédiat.

— OK, je suis prête, ai-je dit.

Hunter s'est tourné vers moi.

— Comment souhaites-tu procéder ? a-t-il demandé. Je n'ai ni ma robe ni mes outils sur moi.

— Je pensais avoir recours à la méditation, ai-je répondu. Nous deux, ensemble, avec mes outils.

Hunter y a réfléchi avant de hocher la tête. En fouillant parmi les pousses des dernières années, nous avons trouvé deux murs dans la fondation originale. En évaluant la position à prendre selon l'angle des briques effritées, nous avons pris place à l'endroit où s'était trouvé le centre de la grange. J'ai tenu l'athamé de Maeve dans ma main gauche et sa baguette dans ma main droite. Entre Hunter et moi, j'ai déposé plusieurs cristaux et deux héliotropes. À l'aide d'un bâton, nous avons dessiné un cercle de pouvoir autour de nous avant de fermer les yeux. J'ai pris une grande respiration pour relâcher la tension, puis, je me suis perdue dans le néant.

*L'intérieur de la grange était sombre. Angus et moi nous tenions au milieu de la bâtisse et nous pouvions entendre le bruit de pas de course à l'extérieur. Je murmurais des sortilèges à voix basse; des sortilèges que je n'avais pas utilisés depuis deux ans. Ma magye paraissait morne, émoussée — une lame rouillée devenue inutile. À mes côtés, je sentais la peur d'Angus, son* désespoir. *Pourquoi gaspilles-tu ton énergie sur les émotions ?* aurais-je voulu crier.

Mes yeux se sont acclimatés à l'obscurité de la grange. L'odeur de la vieille paille, d'animaux disparus et de cuir ancien emplissait mon nez, et j'aurais voulu éternuer. Mais j'ai continué de chanter pour attirer le pouvoir à moi : « An di allaigh an di aigh… » J'ai projeté mes sens pour sonder, mais ils se sont évanouis. On aurait dit que j'étais prisonnière d'une cage de cristal — une cage qui renvoyait nos pouvoirs vers nous plutôt que de les laisser sortir pour qu'ils accomplissent leur travail.

La première bouffée aiguë de fumée a gagné mon nez. Angus a serré ma main fort, mais je l'ai repoussé en ressentant une colère soudaine à l'idée qu'il m'avait aimée toutes ces années — toutes ces années durant lesquelles il savait que je ne l'aimais pas. Pourquoi n'en avait-il pas exigé davantage de moi ? Pourquoi ne m'avait-il pas quittée ? Peut-être, alors, qu'il ne serait pas ici pour mourir avec moi.

De la fumée. J'ai entendu le craquement affamé des flammes léchant la base de la grange et fouettant ses côtés ; se dépêchant à se réunir pour créer un cercle de flammes. La grange était vieille et sèche, le bois était à moitié pourri, ce qui en faisait le bois d'allumage idéal. Ciaran le savait.

— Notre enfant.

La voix d'Angus était remplie de souffrance.

— Elle est en sécurité, ai-je dit en sentant la culpabilité peser sur moi, ce qui ne faisait qu'affaiblir mes pouvoirs. Elle sera en sécurité.

Les petites fenêtres, très élevées sur les murs de la grange, brillaient d'une lumière rose, et je savais que c'était la lueur des flammes et non celle de l'aube. Personne ne nous trouverait. La magye de Ciaran le garantirait. Personne ne contacterait le service des incendies avant qu'il ne soit beaucoup trop tard. Déjà, la bâtisse s'emplissait de fumée qui voltigeait près du plafond, tourbillonnait sur elle-même et s'épaississait.

Peut-être qu'il n'était pas trop tard. Peut-être que je pourrais trouver un moyen de nous sortir de là. J'avais toujours mon pouvoir, même s'il était passablement rouillé. «An di allaigh an di aigh… », ai-je recommencé.

Mais sous mes mots, la cage magyque autour de nous a semblé se resserrer, se contracter, scintillant en nous serrant de près. J'ai toussé et j'ai avalé de la fumée. Et puis, j'ai su qu'il n'y avait pas d'espoir.

Nous en étions là. Ciaran allait causer ma mort. Il m'avait montré ce qu'était l'amour, ce qu'il pouvait être, et à présent, il allait me montrer la mort. J'ai ressenti un regret à l'idée qu'Angus mourrait ici, lui aussi. J'ai tenté de me consoler en me disant que ç'avait été son choix. Il avait choisi d'être avec moi.

Je me suis demandé ce que Ciaran faisait à l'extérieur : s'il regardait toujours pour s'assurer que nous ne nous échappions pas ; s'il tissait de la magye tout autour de nous, des sortilèges de mort et de ligotage, de panique et de peur. J'ai senti les griffes de la panique érafler mon esprit, mais j'ai refusé de les laisser entrer. J'ai tenté de demeurer calme, d'appeler le pouvoir à moi. J'ai pensé à mon bébé, mon beau bébé, et à ses cheveux fins et duveteux d'enfant de la même couleur que ceux de ma mère. Ses yeux bruns inclinés si semblables à ceux de son père. Le bébé le plus parfait à jamais naître, possédant un millier d'années de magye Belwicket dans ses veines, dans son sang.

*Elle serait en sécurité, loin de ce type de danger. Protégée de son héritage. Je m'en étais assurée.*

*C'était difficile de respirer, et je suis tombée à genoux. Angus toussait et il tentait de respirer au travers de sa chemise qu'il avait tirée pour recouvrir son nez et sa bouche. J'avais reprisé cette chemise le matin même, y avais cousu un bouton.*

*Ciaran. Même ici, maintenant, je ne pouvais m'empêcher de me souvenir comment je m'étais sentie à notre première rencontre. Il avait paru tellement évident que nous étions faits l'un pour l'autre. Si évident que nous étions des* mùirn beatha dàns*. Mais il était marié à une autre femme et il était père. Et j'avais choisi Angus. Pauvre Angus. Puis, Ciaran avait choisi les ténèbres plutôt que moi.*

*Je me suis sentie étourdie. De la sueur perlait sur mon front, dans mes cheveux, et la suie brûlait mes yeux. Angus toussait sans arrêt. J'ai pris sa main avant de m'effondrer sur la fine couche de poussière sur le sol de la grange et de ressentir la chaleur se presser contre moi, de tous les côtés. Je ne chantais plus. C'était* inutile. Ciaran avait toujours été plus fort que moi ; il était passé par la Grande épreuve.

Je n'avais eu aucune chance.

# 14

# L'appât

Novembre 1981

Je suis enceinte. C'est une expérience physiolo-
gique étrange, comme si un étranger prenait le
contrôle de moi. Chaque cellule de mon corps
change. C'est excitant et terrifiant : les mêmes émotions qu'Amyranth suscite en moi.

Bien entendu, Daniel est furieux. Depuis les
six derniers mois, il est toujours furieux contre moi,
alors rien de neuf sous le soleil. Nous nous étions
mis d'accord pour ne pas avoir d'enfant comme
notre mariage était si houleux. Pour ma part, j'ai
décidé que je voulais toujours conserver une partie
de Daniel ; avoir quelque chose de permanent qui

serait la somme de nous deux. J'ai donc utilisé la magye pour enrayer son blocage contraceptif. Facile comme tout.

Donc, Daniel a piqué une crise avant de retourner en Angleterre à toute vitesse. Je me suis installée à San Francisco en raison de la grande présence d'Amyranth ici. Qu'est-ce qu'il y a en Angleterre pour l'attirer avec une telle force ? C'est son troisième voyage là-bas en autant de mois. Pour moi, ma maison est là où se trouve Amyranth. La loyauté sentimentale de Daniel me paraît naïve et déplacée.

Il sera bientôt de retour. Il revient toujours. Et le miroir reflète ma grossesse. Je suis plus belle que jamais. Lorsqu'il verra mon teint éclatant, la courbe de mon ventre, ce sera un nouveau commencement pour nous. Je peux le sentir.

— SB

Lorsque j'ai ouvert les yeux, des larmes roulaient sur mon visage. Hunter m'observait, à la fois calme et alerte. Il a avancé une main vers moi pour essuyer quelques larmes sur mon visage.

— As-tu vu ça ? ai-je demandé, la gorge serrée et pleine de douleur.

— En partie, a-t-il dit en m'aidant à me lever.

Nous étions tous les deux frigorifiés, et je voulais quitter cet endroit, me trouver loin de ces émotions. J'ai regardé la fondation brisée sur le sol et je pouvais encore sentir la cendre ancienne, les planches carbonisées. Je pouvais entendre le craquement des fenêtres quand elles se sont fracassées sous la pression de la chaleur. L'odeur de la peau et de cheveux qui brûlent. Ils étaient morts alors.

— Les images que j'ai reçues étaient floues, a dit Hunter.

Il m'a tirée vers lui, puis nous nous sommes dirigés vers la voiture. Après avoir remis mes vêtements, je me suis retrouvée à pleurer à grosses larmes sur le siège du passager, le visage dans les mains. Hunter m'a étreinte, ses bras autour de moi, ses mains caressant mes cheveux.

— C'était Ciaran, ai-je finalement lâché. Le grand amour de ma mère. Il les a tués, elle et Angus.

— Pourquoi?

— Je ne sais pas, ai-je dit, frustrée. Parce qu'il ne pouvait pas l'avoir? Parce qu'elle l'a rejeté quand elle a découvert qu'il était marié? Parce qu'elle a choisi Angus? Je ne sais pas.

J'ai posé ma tête contre la poitrine de Hunter, devinant son corps mince et ferme sous son blouson. Je savais qu'il comprenait ma douleur en raison de ce qui était arrivé à ses parents. Peut-être qu'un jour, je serais en mesure d'aider Hunter comme il m'aidait en ce moment. Soudain, ses doigts se sont immobilisés dans mon dos, et j'ai senti la tension gagner son corps. J'ai levé la tête et j'ai fermé les yeux.

— Selene, ai-je murmuré en érigeant immédiatement les blocages magyques comme Alyce me l'avait appris.

Rapidement, j'ai érigé un mur après l'autre autour de moi, fermant mon esprit aux influences extérieures, entourant Hunter et moi de sortilèges pour chasser le

mal, de sortilèges de protection, de dissimulation et de force. Il ne m'a fallu que
quelques instants, et j'ai senti la pression
grandissante exercée par Selene pour
passer, pour infiltrer mon esprit. J'ai serré
la main de Hunter, et nous avons uni
nos pouvoirs — j'ai senti sa force se conso-
lider avec la mienne et je lui en étais
reconnaissante.

Puis, soudain, c'était terminé. Je ne sentais plus aucune présence étrangère. Lentement, Hunter et moi nous sommes séparés,
et mon cœur s'est serré devant la perte de
ce rapprochement.

— Elle te veut ardemment, a dit Hunter
d'un air sévère en se rassoyant sur son
siège. C'est la deuxième fois qu'elle essaie
de pénétrer dans ton esprit. Elle doit être
plus près que je ne le croyais. Merde ! Nous
l'avons cherchée partout ; je fais des présages chaque jour. Mais j'ai été incapable de
relever quoi que ce soit.

Il a réfléchi un moment tout en tapotant
le volant de ses doigts.

— Je vais demander l'aide du Conseil.

Il a démarré la voiture et le chauffage.

— Seront-ils en mesure de nous aider ? ai-je demandé en serrant mes bras contre mon corps.

Je me sentais accablée, triste et lasse.

— Je l'espère, m'a répondu Hunter. Selene planche sur quelque chose ; quelque chose qui arrivera bientôt. Je le sens.

Il m'a jeté un regard à la dérobée avant de poser la main sur ma jambe. Je commençais à me réchauffer, mais j'avais toujours la nausée. J'espérais ne pas avoir à demander à Hunter de se ranger sur l'accotement pour me permettre de vomir.

— Incline ton siège, a-t-il suggéré pendant que je buvais le reste de mon Coke diète à petites lampées. Es-tu certaine que tu devrais boire ça ? Nous pourrions nous arrêter quelque part pour prendre un bon thé.

— Le cola, c'est bon pour calmer l'estomac, ai-je fait. Tout le monde le sait.

J'ai déposé la cannette dans le porte-gobelet avant de tirer le levier permettant d'incliner le siège.

— Ça va mieux ? a demandé Hunter.

— Hum, ai-je fait.

Mes paupières étaient lourdes, et je me suis laissé glisser dans une délicieuse perte de conscience où la souffrance n'existait pas. Quand je suis revenue à moi, la voiture s'était arrêtée et Hunter frottait doucement mon épaule.

— Nous sommes revenus, à la maison, a-t-il dit.

Nous étions garés devant ma maison. Par la vitre, j'ai vu que le jour était devenu sombre avec des nuages foncés et lourds pointant de l'ouest. Une chute de neige était à prévoir. Ma montre indiquait 16 h.

J'ai saisi la poignée pour relever mon siège, mais j'ai été accrochée par l'expression dans les yeux de Hunter. Tout d'un coup, il me semblait être la plus belle chose que je n'avais jamais vue, et je lui ai souri. Ses yeux se sont légèrement embrasés, et il s'est penché vers moi. J'ai enroulé mon bras autour de son cou et l'ai tiré vers moi pendant que nos lèvres se rencontraient. Je l'ai embrassé goulûment, désirant faire un avec lui, lui démontrer mes sentiments à son sujet, à quel point je l'appréciais. Sa respiration s'est accélérée alors qu'il me serrait plus fort dans ses bras, et c'était excitant de savoir à quel point il me désirait, lui aussi.

Lentement, il s'est retiré, et notre respiration a graduellement repris un rythme normal.

— Nous devons parler au sujet de ce que tu as vu, a-t-il dit doucement en glissant un doigt le long de l'arête de mon menton.

J'ai hoché la tête.

— Peut-être pourrais-tu entrer pour un moment ? Nous pourrions nous asseoir dans la salle-repos. Ma mère nous laisserait plus ou moins tranquilles.

Il m'a adressé un grand sourire, et nous avons gagné la porte d'entrée. Avant que je ne puisse la déverrouiller, elle s'est ouverte et maman m'a jeté un regard quelque peu fou.

— Morgan ! Dieu merci tu es là ! Tu sais où est Mary K. ? Est-elle avec toi ?

Elle a regardé au-delà de mon épaule comme si elle s'attendait à ce que ma sœur arrive de la cour.

— Non, ai-je répondu en ressentant une pointe d'alarme. Je l'ai vue ce matin. Elle m'a dit qu'elle se rendait chez Jaycee.

— Jaycee ne l'a pas vue de la journée, a dit maman, et les rides autour de sa bouche ont semblé se creuser. Je suis arrivée à la maison plus tôt, et il y avait un message de Jaycee qui demandait pourquoi Mary K. lui avait posé un lapin.

Maman a reculé et nous a fait signe d'entrer. Je réfléchissais aux possibilités, mon cerveau s'enflammant soudain, luttant contre la fatigue accumulée depuis dimanche.

— A-t-elle laissé une note? De quoi a l'air sa chambre?

— Non, aucune note nulle part, et sa chambre est normale, comme si elle venait de partir, a fait maman. Son vélo est ici.

Sa voix était cassée. Je savais à quoi elle pensait: Bakker.

— Laisse-moi appeler chez Bakker, ai-je dit en secouant les épaules pour retirer mon manteau.

Je me suis dirigée vers la cuisine, où j'ai cherché le numéro de Bakker avant de le

composer. Peut-être que sa famille saurait
où il était parti. Peut-être que Mary K. avait
fait preuve de mauvais jugement et s'était
rendue chez lui pour regarder la télé ou
quelque chose du genre.

Sa mère a répondu, et j'ai demandé à
parler à Bakker. À mon soulagement, il
était à la maison et, rapidement, il a pris
l'appareil pour prononcer un « Allô ? »
prudent.

— Bakker, c'est Morgan Rowlands,
ai-je dit brusquement. Où est Mary K. ?

— Hein ? a-t-il lancé sur la défensive.
Comment pourrais-je le savoir ?

— Écoute-moi : est-elle chez toi ?
Laisse-moi lui parler.

— Tu plaisantes ou quoi ? Grâce à toi,
elle ne m'adressera plus jamais la parole. Je
ne l'ai pas vue depuis le début du congé
scolaire.

— C'est de *ta* faute si elle t'ignore, ai-je
dit sur un ton cinglant. Si j'apprends qu'elle
est là et que tu me mens…

— Elle n'est pas ici. Va te faire foutre.
Clic.

J'ai levé les yeux pour apercevoir les yeux de maman et de Hunter rivés sur moi.

— Apparemment, elle n'est pas chez Bakker, ai-je dit.

J'ai tapé un doigt contre mes lèvres, pensivement. Le comportement de Mary K. était si différent dernièrement. Elle se rendait si souvent à l'église pour prier et lire la Bible. J'ai senti une pointe de culpabilité en songeant à toutes les fois où j'avais essayé de lui parler, mais n'avais pas assez insisté pour qu'elle s'ouvre à moi. Elle avait peut-être de sérieux ennuis à présent ; des ennuis que j'aurais peut-être pu prévenir.

— Peut-être est-elle allée faire les boutiques ou quelque chose comme ça, ai-je dit sans le croire. Ou elle assiste peut-être à une messe d'après-midi à l'église. Mais pourquoi ferait-elle faux bond à Jaycee ?

— Elle ne ferait pas ça, a dit maman, et j'ai senti sa tension, à quel point elle était à deux doigts de la panique. Elle ne ferait jamais ça. Tu sais à quel point elle est consciencieuse.

J'ai regardé Hunter pour constater qu'il pensait à la même chose que moi : nous pourrions effectuer un présage pour trouver Mary K., mais nous ne pouvions pas le faire devant ma mère.

— OK, ai-je dit en prenant mon manteau. Écoute : Hunter et moi allons faire un tour au café et à l'église, peut-être un arrêt chez Darcy et dans les boutiques du centre-ville. Nous téléphonerons dans une heure pour te donner des nouvelles, mais je suis certaine que nous allons la retrouver. Elle a probablement oublié de laisser une note, tout simplement. Je suis certaine qu'elle va bien, et qu'il y a une explication simple pour tout ça.

— OK, a dit maman après un moment. Je réagis probablement de manière excessive. C'est tellement contraire à ses habitudes de disparaître comme ça, a-t-elle continué avant de se mordre la lèvre. J'ai déjà appelé papa. Il est en route pour la maison. Il m'a dit qu'il jetterait un coup d'œil du côté du centre commercial de Taunton pour voir si elle est là.

— Tout ira bien. Nous t'appellerons.

Hunter et moi sommes sortis par la porte d'entrée pour nous diriger vers sa voiture. J'avais l'impression d'avoir passé la journée dans cette voiture et je n'avais pas envie de monter à nouveau à bord. Alors que nous atteignons le trottoir, notre voisine immédiate, madame DiNapoli, s'est dirigée vers ma maison.

— Allô, Morgan, a-t-elle dit en serrant son manteau contre elle. Ta mère est là ?

Elle a souri, et j'ai vu qu'elle tenait une tasse à mesurer.

— J'aimerais emprunter...

— Du sucre ? ai-je demandé.

— De la farine, a-t-elle dit. La tante et l'oncle de Harry viennent à la maison pour le dîner, et je prépare un roux. Tu crois que tes parents ont de la farine ?

— Hum, probablement, ai-je dit pendant que Hunter souriait à madame DiNapoli et ouvrait la portière du côté du conducteur. Maman est là : vous pourrez le lui demander. Nous nous apprêtions à partir.

— OK.

Elle s'est dirigée vers notre cour pendant que je me retournais pour grimper dans la voiture.

— C'était toute une voiture que j'ai vue plus tôt, a lancé madame DiNapoli. À qui appartenait-elle ?

— Que voulez-vous dire ? ai-je demandé.

— La Jaguar dans laquelle Mary K. a embarqué plus tôt.

Je me suis figée.

— Vous avez vu Mary K. embarquer dans une Jaguar ?

Je suis tellement stupide, ai-je songé. Pourquoi n'avais-je pas demandé aux voisins s'ils avaient vu quoi que ce soit ?

Madame DiNapoli a éclaté de rire.

— Ouais, une belle Jaguar verte.

Selene conduisait une Jaguar verte. J'ai regardé Hunter, et, encore une fois, nos pensées étaient en harmonie. Il a brièvement hoché la tête avant de se glisser derrière le volant pour démarrer la voiture.

— Je ne suis pas certaine à qui elle appartenait, ai-je dit. À quelle heure l'avez-vous vue ?

Notre voisine a haussé les épaules.

— Il y a au moins deux heures. Je n'en suis pas certaine.

— OK. Merci, Madame DiNapoli.

Je me suis hissée sur le siège du passager, et Hunter a démarré la voiture pour se diriger vers les limites de la ville. Nous savions où commencer nos recherches.

L'ancienne maison de Cal.

# 15

# Piège

Avril 1982

Méfiez-vous de vos rêves : ils pourraient se réaliser.

Mon rêve s'est réalisé, et la Déesse doit en rire. Daniel est rentré à la maison, après une absence de plus de trois mois. Le bébé doit naître en juin, et je suis ronde, vibrante et fertile, à l'image de la Déesse. Il est intéressant de constater comment ma grossesse affecte ma magye : je suis plus puissante d'une certaine façon, mais il y a certains effets secondaires imprévisibles. Certains sortilèges se dissipent, d'autres ont des effets imprévus. Impossible de compter sur quoi que ce soit. C'est surtout comique. Cependant, au cours des sept derniers mois, je n'ai pas été en mesure de collaborer au sein d'Amyranth. Les membres sont compréhensifs, toutefois, car ils savent que je leur donnerai sous peu un bébé Amyranth parfait : un enfant littéralement né pour mener leur mission.

C'est difficile pour moi d'écrire les prochains mots. J'ai découvert la raison pour laquelle Daniel se rend en Angleterre si souvent : il a une petite amie là-bas. Il me l'a avoué de lui-même. J'étais certaine qu'il plaisantait — quelle autre femme, humaine ou sorcière, pouvait me livrer concurrence ? Mais à mesure qu'il débitait son histoire et que j'enregistrais ses paroles, je suis passée de l'amusement, à l'horreur, à la furie. Cette autre femme, qu'il refuse de nommer, et lui se connaissent depuis des années et ils ont déjà partagé une romance, enfants. Mais leur liaison a seulement commencé il y a six mois, tout de suite après la conception de mon bébé. Je suis si bouleversée que les mots me manquent. Il m'apparaît incroyable que Daniel ait pu me cacher ce secret. Cela signifie que ses pouvoirs sont plus forts que je ne le croyais. Et comment est-ce possible ?

Je réfléchis aux prochaines étapes à suivre. Il va sans dire que je dois trouver cette femme et l'éliminer. Daniel affirme que la liaison est terminée. Il a sangloté avec pathétisme en me l'annonçant. Quel ver de terre ! Il est revenu à moi pour le bien du bébé, mais il ne couchera plus avec moi et il a dit qu'il ne prétendrait plus que nous sommes un couple. Ceci est inacceptable. Il m'appartiendra ou il n'appartiendra à personne d'autre. Je dois faire plier sa volonté, le lier à moi. Je dois y aller : j'ai des recherches à effectuer et des gens à consulter.

— SB

Hunter s'est rangé sur l'accotement alors que nous étions toujours à plus d'un kilomètre de la maison de Cal. Il a éteint le moteur avant de se tourner vers moi.

— Pourquoi t'arrêtes-tu ? ai-je dit avec un ton urgent. Allons-y ! Si elle tient Mary K...

— Je sais, et nous y irons. Mais d'abord, envoie un message de sorcière à Sky et à Alyce, a-t-il dit. J'en enverrais un, mais le tien sera plus fort. Demande-leur de communiquer avec le Conseil pour envoyer des renforts chez Selene le plus rapidement possible. Il faudra au moins deux heures, mais ils arriveront peut-être à temps pour nous aider.

— Devrais-je demander à Sky et à Alyce de nous y rencontrer maintenant ? ai-je demandé. Si nous joignions tous nos pouvoirs...

Il a secoué la tête.

— Elles ne sont pas équipées pour cette bataille, a-t-il doucement dit. Toi non plus, pour parler franchement. Mais ceci te concerne : c'est à propos de ce que Selene veut de toi.

— Je serai assez forte, ai-je fait sans être certaine que ce soit vrai. Si elle a fait quoi que ce soit à Mary K…

— Ce qui importe est que tu utilises tes propres pouvoirs, a dit Hunter, le regard intense. Utilise tes pouvoirs, conjointement au savoir d'Alyce. Sens le pouvoir en toi. Reconnais-le entièrement. Selene tentera d'utiliser l'illusion et la peur pour t'abattre. Ne la laisse pas faire.

Je l'ai regardé dans les yeux, terrifiée.

— OK, ai-je dit d'une voix tremblante.

Il a démarré le moteur. Cinq minutes plus tard, il engageait la voiture dans la rue qui menait à l'énorme maison de pierres où Cal et Selene avaient exercé leur magye.

Nous étions plongés dans l'obscurité. Il était à peine 17 h, mais nous étions en hiver, et le soleil s'était caché à l'horizon, obscurci par des nuages menaçants. Je pouvais sentir que, sous peu, le ciel s'ouvrirait pour laisser tomber de la neige et de la glace.

Mary K., ai-je pensé pendant que Hunter se garait au bout de la rue, hors de la vue de la grande maison. Ma chère sœur.

Bien que nous ne partagions pas le même sang, je sentais que nous avions toujours été sœurs en esprit : nous étions destinées à être apparentées, à nous aimer comme des membres de la même famille. Elle était plus futée que moi à certains égards — elle savait quoi porter, qui fréquenter, comment flirter, être enjouée et charmante. Mais à d'autres égards, elle était si naïve. Elle faisait confiance à la plupart des gens. Elle croyait que sa foi la protégerait. Elle croyait que si elle était suffisamment bonne, tout irait bien. Je n'étais pas aussi naïve.

— Ouvre le coffre, ai-je dit à Hunter, ce qu'il a fait.

Je savais que j'aurais besoin de chaque gramme de pouvoir à ma disposition. Je ressentais toujours l'épuisement causé par le *tàth meànmna brach*. Après une légère et étrange hésitation, j'ai retiré mon manteau, mon pull molletonné et mon tricot de corps pour enfiler la robe de ma mère, et la soie mince d'un vert d'émeraude m'a immédiatement réchauffée dans l'air froid de la nuit. J'ai senti mes joues se réchauffer à mesure que je rougissais pendant que je déboutonnais mon jean pour pousser mon pantalon et ma culotte jusqu'à mes chevilles. Bien entendu, c'est là que j'ai réalisé que je portais toujours mes baskets et mes chaussettes, et j'ai dû me pencher pour les enlever et retirer mon pantalon.

Puis, je me suis tenue debout, entièrement à l'aise, revêtue uniquement de cette robe, et ce, même si l'hiver s'était installé dans le nord-ouest de l'État de New York. J'ai l'impression de me trouver dans un champ de forces wiccan, me suis-je dit en prenant la baguette et l'athamé de Maeve.

— J'aurais aimé avoir eu le temps de récupérer ma robe, a dit Hunter en fronçant les sourcils.

Il a brandi son athamé. Et ainsi armés, nous avons avancé silencieusement vers la maison.

Nous avons immédiatement pris conscience d'une obscurité magyque qui nous entourait. En me tenant dans les ombres projetées par la haie qui encerclait la propriété, j'ai projeté mes sens pour ressentir un miasme de magye noire émaner de la maison, à même ses pierres. La Jaguar verte était garée dans la cour circulaire et, à mes yeux, elle semblait être illuminée et vibrer, comme si elle était radioactive. J'ai réalisé que j'étais terrifiée et j'ai tenté de relâcher mes peurs.

D'un accord silencieux, nous nous sommes arrêtés et, ensemble, nous nous sommes enveloppés de nappes d'illusion, d'imprécision, d'ombres. Sans aucun effort, j'ai trouvé des sortilèges dans la mémoire d'Alyce et les ai appelés à moi, comme s'ils m'étaient aussi connus que Dagda. En toute autre circonstance, j'aurais été enchantée de découvrir cette nouvelle capacité, mais dans le cas présent, je n'ai réussi qu'à me faire du mauvais sang. Pour n'importe quelle sorcière de moindre importance, nous aurions certainement été invisibles, mais ces sortilèges fonctionneraient-ils pour Selene ? Elle était si puissante que je ne pouvais m'empêcher d'en douter.

Nous avons regardé la maison et ses fenêtres noires et béantes, son air de négligence récent. Des feuilles mortes avaient couvert le porche et les marches d'où elles n'avaient pas été balayées.

— Comment est-elle entrée? ai-je murmuré. La maison était ensorcelée pour l'empêcher d'y pénétrer.

— Le Conseil a fait de son mieux, a répondu Hunter d'une voix douce. Mais Selene a accès à des pouvoirs et des liens que nous ne comprenons pas pleinement. La question qui se pose est comment allons-*nous* entrer? La porte d'entrée doit être piégée.

Je me suis accroupie un instant pour examiner la maison. Puis une idée m'est venue, et je me suis relevée.

— Suis-moi.

Sans attendre sa réponse, j'ai longé la haie jusqu'à une ouverture dans le grand massif d'arbustes qui menait au côté droit de la maison. Nous avons écrasé de nos pas le gazon mort jusqu'à l'arrière de la maison où un escalier en métal étroit menait jusqu'au grenier, au troisième niveau. L'ancienne chambre de Cal. J'ai commencé à grimper les marches; mes pieds nus pratiquement silencieux.

— Nous avons ensorcelé toutes les entrées, m'a doucement rappelé Hunter.

— Je le sais. Mais tu peux briser tes sortilèges : c'est toi qui les as jetés. Et je ne crois pas que Selene s'attende à ce que nous passions par ici.

Pendant toute la montée, j'ai projeté mes sens, à la recherche de ma sœur et de la présence de Selene, pour tenter de transpercer les sortilèges de confidentialité qui masquaient la maison. Je ne pouvais rien sentir à l'exception d'une fatigue douloureuse allant jusqu'à la moelle, les faibles traces de nausée aux abords de ma conscience et les vrilles de magye noire qui suintaient de la maison et qui frémissaient dans l'air qui m'entourait.

Au haut de l'escalier étroit se trouvait une petite porte en bois. Cal l'avait utilisée pour passer de sa chambre à la cour arrière et à la piscine qui se trouvait au-delà. Je me suis arrêtée un moment pour appuyer une main contre mon front, fermer les yeux et me concentrer.

Ce n'était pas comme si, soudain, tout s'était manifesté à moi en couleurs de néon. Mais à mesure que je réfléchissais, que j'ordonnais à la magye de se montrer, les couches de sortilèges lancés sur la porte ont commencé à briller lentement et faiblement. J'étais vaguement consciente que Hunter se trouvait à côté de moi, s'immobilisant et exerçant une vigilance pendant que les *sigils* et les signes de sortilèges brillaient d'un faible éclat le long de l'embrasure. J'ai aperçu les signes les plus anciens — ceux laissés par Cal afin que la porte ne s'ouvre seulement qu'à ses ordres. J'ignore comment j'ai su que ces sortilèges lui appartenaient, ce qu'ils étaient et comment il les avait conçus. C'était un peu comme le mécanisme qui s'opère quand on voit une marguerite et qu'on songe : marguerite. La réponse était claire et instantanée.

Il apparaissait aussi évident que les sortilèges de Cal avaient été effacés, pour la plupart, par l'Assemblée internationale des sorcières, ai-je supposé. Les sortilèges du Conseil étaient compliqués et brillaient avec éclat. Je ne connaissais pas assez bien les membres du Conseil pour reconnaître leur travail, mais j'ai senti que j'apercevais des traces de l'écriture de Hunter — sa personnalité dans ses sortilèges. Une autre impression que je ne pouvais ni expliquer ni prouver. Je le savais, c'est tout.

Des sortilèges sombres et irritables d'illusion et de répulsion recouvraient tout ce travail, et j'y ai reconnu la patte de Selene. Elle avait utilisé un alphabet ancien et un ensemble archaïque de caractères, et le simple fait d'apercevoir ces sortilèges a fait monter en moi une vague de peur que j'ai tenté de repousser. Le travail de Selene brillait du plus grand éclat : elle avait jeté ces sortilèges récemment.

— OK, a soufflé Hunter à côté de moi.

J'ai tenu les sortilèges à l'œil alors qu'il a commencé, lentement et laborieusement, à les défaire, couche par couche, en prononçant les paroles qui démêlaient les sortilèges et dispersaient leur énergie et leur pouvoir. Je commençais à sentir une douleur aiguë et perçante se manifester sur mes tempes pendant que je m'efforçais de demeurer concentrée. Le vent froid a semblé s'intensifier et nous secouer sur l'escalier étroit en bordure du grenier de la maison en pierres.

Enfin, tous les sortilèges ont été rompus, et il est devenu facile pour Hunter d'ouvrir le verrou mécanique de la porte par la magye. La porte s'est ouverte silencieusement, et après nous être lancé un regard à la dérobée, Hunter et moi sommes entrés.

À l'intérieur, la chambre de Cal était telle qu'il l'avait laissée la nuit où il avait tenté de me tuer. En balayant rapidement la pièce du regard, j'ai pu constater qu'il avait pris quelques livres et probablement certains vêtements puisque les tiroirs de sa commode étaient entrouverts. Mais il ne semblait pas être resté ici.

La pièce était étonnamment familière, et mon cœur s'est serré malgré moi en apercevant la pièce où Cirrus avait tenu des cercles, le fauteuil où j'avais ouvert les cadeaux d'anniversaire que m'avait donnés Cal, le lit où nous nous étions étendus pour nous embrasser pendant des heures.

En faisant le moins de bruit possible, nous avons fouillé rapidement dans la chambre de Cal. J'ai tenu mon athamé devant moi, et sur presque toutes les surfaces, il m'a dévoilé des runes, des *sigils* et d'autres signes — la magye dont Cal avait usé dans cette pièce. Mais à l'exception de signes et de certains outils et talismans dangereux, nous n'avons rien trouvé, aucun signe du passage de Mary K., de Cal ou de Selene.

— Par là, a à peine murmuré Hunter en pointant vers la porte qui menait au reste de la maison.

Quand il a ouvert la porte, j'ai failli reculer. À présent, je pouvais sentir Selene, sa présence sombre. Elle avait usé de magye noire dans cette maison : son aura amère et âcre s'agrippait à tout. On aurait dit que l'air en soi avait été contaminé, et j'étais effrayée.

Avec tendresse, Hunter a effleuré mes cheveux et ma joue de la main.

— N'oublie pas, a-t-il murmuré, la peur est l'une de ses armes. Ne te laisse pas prendre. Fais confiance à tes instincts.

Mes instincts ? ai-je pensé, paniquée. Nous savions tous deux à quel point ils avaient été fiables par le passé. Mais je savais qu'il s'agissait de la mauvaise réponse, alors je me suis contentée de hocher la tête, et nous nous sommes avancés vers l'escalier de service étroit qui menait au second étage. La baguette de Maeve était mince et puissante dans ma main gauche, et son athamé semblait me protéger à l'image d'un bouclier. Mais je me sentais tout de même vulnérable en me glissant vers le second étage et j'étais heureuse que Hunter se trouve à mes côtés.

La chambre de Cal occupait toute la superficie du grenier, et le second étage comptait cinq chambres à coucher et quatre salles de bain. Là, à l'instar du grenier, la poussière sur le plancher n'avait pas été déplacée jusqu'à ce que nos pieds y laissent des marques. Pour un esprit rationnel, cela signifiait que personne n'y avait marché depuis la fermeture de la maison. Mais la sorcellerie n'est pas régentée par les lois de la rationalité.

Chercher une sorcière est différent de chercher une personne ordinaire. J'utilisais mes yeux et mes oreilles, mais plus important encore, j'utilisais mes sens, mon intuition, mon instinct wiccan qui m'avertissaient qu'un danger se trouvait à proximité et m'indiquaient la forme qu'il prendrait. Hunter, mes outils et moi avons vérifié rapidement le deuxième étage. Aucune des pièces ne semblait avoir été touchée. Ce qui était autrement plus révélateur était le fait que nous ne *sentions* pas qu'elles avaient été touchées. Je n'ai décelé aucune trace de l'aura caractéristique de Selene dans les chambres à coucher : elle n'avait pas foulé le sol du second étage.

J'ai ressenti quelque chose à un seul moment ; au moment où j'ai marqué une pause devant une fenêtre ouverte dans la dernière chambre. Là, j'ai ressenti un léger frisson, comme si je me tenais sous l'évent d'un système de climatisation, mais les rideaux étaient immobiles. Puis, j'ai décelé l'énergie : Cal. Cal s'était trouvé ici : il s'était tenu ici, une bougie allumée à la main, il n'y avait pas longtemps. Le jour où Bree, Mary K. et moi étions passées par ici, à notre retour de Magye pratique, et je l'avais aperçu. Les traces de son passage subsistaient.

Hunter s'est avancé à mes côtés. Nos regards se sont croisés, et il a hoché la tête. Il a senti la présence, lui aussi. En me prenant le coude, il m'a dirigée vers l'escalier principal, composé de marches larges et taillées richement, qui menait au rez-de-chaussée. Le tapis riche paraissait morne, poussiéreux, et mon nez a picoté sous l'attaque des grains de poussière que nos pieds agitaient dans l'air glacial et silencieux.

À chaque pas, je ressentais la présence de Selene avec une plus grande force. Dans ma main, le manche de l'athamé ancien de Belwicket a paru se réchauffer. Puis, j'ai su : Selene se trouvait dans sa bibliothèque, la bibliothèque cachée dans laquelle je n'étais pénétrée qu'une seule fois, dans une autre vie, il me semblait, pour y découvrir le Livre des ombres de Maeve parmi les étagères de Selene. Quand Hunter était venu ici, il n'avait pas été en mesure de repérer la porte dissimulée. En fait, même les sorcières du Conseil avaient été incapables de briser les sortilèges qui gardaient la porte du repaire secret de Selene.

Aujourd'hui, il en irait autrement. Nous allions pénétrer dans la bibliothèque cachée parce que Selene voudrait que nous y entrions. Elle avait enlevé ma sœur pour me forcer à venir ici. En un instant, j'ai compris son plan : Selene avait tenté de pénétrer dans mon esprit, mais avait été contrecarrée par ma capacité à la bloquer. S'était-elle alors tournée vers ma sœur ? Mary K. s'était repliée sur elle-même depuis quelques semaines — l'influence de Selene avait-elle fait son œuvre tout ce temps ?

Depuis notre première rencontre, Selene m'avait courtisée par l'entremise de son fils. Elle avait ordonné à Cal de se rapprocher de moi, ce qu'il avait fait. Elle avait voulu qu'il me rende amoureuse de lui, et il s'était exécuté. Elle avait voulu qu'il me convainque de me ranger à leurs côtés pour unir ma magye et les outils de l'assemblée de Maeve aux leurs. Ça, je l'avais refusé. Depuis, elle souhaitait deux choses : ma servilité, ou ma mort et les outils de Maeve. À présent, voilà où j'étais : dans sa maison, à sa demande, comme elle l'avait prévu.

Aujourd'hui, nous mettrions un terme à une voie qui s'était dressée depuis le jour de notre rencontre. J'ai eu la certitude soudaine et effarante que Selene prévoyait qu'une seule personne survivrait à cette rencontre : elle. Avant la conclusion de cette journée, elle souhaitait assister à ma mort et faire main basse sur les outils de Maeve. Il ne faisait aucun doute qu'elle désirait aussi la mort de Hunter. Mary K. n'avait probablement aucune importance à ses yeux, mais à titre de témoin, elle devrait mourir aussi.

Je me suis pratiquement effondrée contre la rampe de l'escalier pendant que ces pensées filaient comme l'éclair dans mon esprit. Si j'étais une sorcière bien initiée, je tremblerais comme une feuille à l'idée d'affronter Selene Belltower. Si tous les membres du Conseil se tenaient derrière moi, baguettes brandies, je ressentirais tout de même une terreur froide et désespérée. Et là, j'étais seule avec Hunter, une sorcière amateur, pieds nus, originaire d'un village.

Ma gorge s'est serrée, et je me suis tournée vers Hunter. Mes yeux écarquillés se remplissaient de larmes de désespoir. Jésus, sors-moi de là, ai-je pensé sous l'emprise de la panique. Dieu, je Vous en prie. Hunter m'a observée et il a plissé les yeux avant de serrer mon épaule avec force — si fort que j'ai grimacé.

— N'aie pas peur, a-t-il murmuré avec férocité.

Ouais, bien sûr, aurais-je voulu crier. Chaque cellule de mon corps me poussait à faire demi-tour, à courir et à déguerpir de là au plus vite. Seule l'image de ma sœur innocente, grimpant avec confiance dans la voiture de Selene, m'a maintenue en place. J'ai senti la nausée monter au fond de ma gorge et j'aurais voulu m'asseoir et fondre en larmes, là, dans l'escalier.

— Morgan, viens, ai-je entendu la voix de Selene dire dans mon esprit.

J'ai écarquillé les yeux et j'ai regardé Hunter. Son visage m'a indiqué qu'il n'avait rien entendu.

— Selene, ai-je murmuré. Elle sait que je suis ici.

Le visage de Hunter s'est renfrogné. Il s'est penché vers moi, et ses lèvres se sont approchées des miennes.

— Nous pouvons y arriver, ma belle. Tu peux y arriver.

J'ai tenté de me concentrer, mais je ne pouvais m'empêcher de penser que j'allais peut-être mourir ce soir-là. J'ai senti le désespoir grandir au fond de mon estomac comme si j'avais avalé une pierre froide de la taille de mon poing.

Mais il n'y avait rien à faire. Mary K. était là. Ma sœur avait besoin de moi. Hunter est demeuré à mes côtés pendant que je poursuivais ma descente, mes pieds nus silencieux sur le tapis épais. Quand nous avons atteint le bas de l'escalier, le parquet était froid et couvert de poussière. Là, enfin, nous avons vu des signes de perturbation. J'ai vu le contour effacé d'empreintes, balayées pour la plupart par quelque chose de souple, mais de lourd — le bas d'une cape? Une couverture?

Je me suis tournée pour avancer dans le couloir menant à la grande cuisine. Au milieu du couloir, je me suis arrêtée pour regarder à droite. La porte devait se trouver par ici, je le savais. La porte menant à la bibliothèque de Selene.

# 16

# Selene

Juin 1982

Bénie sois la Déesse. J'ai enfin accouché de mon petit garçon. C'est un gros bébé parfait, aux cheveux fins et foncés comme les miens et aux yeux de la couleur étrange de l'ardoise qui, sans aucun doute, changeront de couleur plus tard. Norris Hathaway et Helen Ford m'ont assistée à titre de sages-femmes et ont été des atouts précieux durant l'accouchement. L'accouchement ! Déesse, je n'avais aucune idée. J'ai eu l'impression d'être déchirée en deux, de donner naissance à un monde entier. J'ai essayé d'être forte, mais je dois admettre avoir crié et pleuré. Puis, mon fils s'est montré la tête, et

Norris a inséré ses mains pour retourner ses épaules. J'ai baissé les yeux pour apercevoir mon fils apparaître dans la lumière, et mes larmes de douleur se sont transformées en larmes de joie. C'était la magye la plus incroyable que j'ai jamais effectuée.

La cérémonie de son nom aura lieu la semaine prochaine. J'ai choisi Calhoun : guerrier. Son nom de l'assemblée Amyranth sera Sgàth, ce qui signifie ténèbres. Il s'agit de ténèbres douces, à l'image de ses cheveux.

Daniel n'a pas assisté à la naissance : un signe de sa faiblesse. Il se traîne les pieds en rêvassant à l'Angleterre et à sa putain anglaise. Je le méprise, mais je continue de le désirer. Il semble être content de son fils, mais il l'est un peu moins de moi. À présent que notre bébé est ici, en chair et en os, beau et parfait, peut-être que Daniel arrivera à être heureux avec moi. Ce serait préférable pour lui.

À présent que le bébé est né, je me meurs de reprendre mon travail au sein d'Amyranth. Au cours des derniers mois, ils se sont rendus au pays de Galles, puis en Allemagne, et, envieuse, j'en grinçais des dents. Le voyage en Allemagne a produit des livres anciens sur les ténèbres que j'ai très hâte de voir — je peux déjà les goûter. Voir Calhoun grandir dans les bras d'Amyranth, devenant le fils de l'assemblée autant que le mien, sera extrêmement gratifiant. Il sera mon instrument, mon arme.

— SB

Selene n'allait pas nous rendre la tâche *trop* facile : Hunter et moi avons mis plusieurs minutes avant de trouver le contour imprécis de la porte cachée. Enfin, j'ai pu trouver un des sortilèges de révélation d'Alyce et, à l'aide de mon athamé, j'ai détecté une ligne aussi mince qu'un ongle sur le mur du couloir.

— Ah, a soufflé Hunter. Bon travail.

Je me suis tenue près de lui en me concentrant pour prêter à Hunter mon pouvoir pendant que, prudemment, lentement et méthodiquement, il brisait les sortilèges de dissimulation et de fermeture. Je sentais la magye de Selene comme des aiguilles qui piquaient chaque partie de mon corps, mais, en songeant à Mary K., j'ai tenté d'ignorer la douleur.

On aurait dit que des heures étaient passées avant que Hunter glisse une main vers le bas du mur et que j'entende le faible bruit d'un loquet qui s'ouvre. La porte, à peine plus haute que Hunter, s'est ouverte.

L'instant d'après, j'ai serré les lèvres devant la vague de ténèbres et de mal qui a déferlé par l'ouverture comme une marée venue pour nous emporter dans la pièce. Poussée par l'instinct, j'ai reculé et j'ai jeté des sortilèges de protection et des sorts pour repousser le mal, en plus de ceux que Hunter et moi avions déjà lancés autour de nous. Puis, j'ai entendu le rire aussi doux que le velours de Selene émaner de la bibliothèque et je me suis forcée à avancer, à passer le seuil et à entrer dans son repaire.

La pièce était sombre. Le seul éclairage provenait de plusieurs bougies cylindriques placées sur des bougeoirs en fer forgé plus grands que moi. Je me suis souvenue de l'aménagement de la pièce comme je l'avais aperçu l'unique autre fois où je m'étais trouvée dans cette pièce : c'était une grande pièce au plafond élevé. Des bibliothèques bordaient les murs, liées par des rampes en laiton et accessibles par de petites échelles sur roulettes. Il y avait un sofa en cuir profond, plusieurs présentoirs en verre, un énorme bureau de travail en noyer, une table de lecture munie d'un globe terrestre et plusieurs porte-livres supportant des volumes énormes, anciens et en état de désagrégation. Et partout dans la pièce, sur chaque livre, coussin et tapis, se trouvait la magye de Selene, sa magye noire, ses sortilèges, ses expériences et ses mixtures interdites. Les aiguilles de douleur se sont intensifiées pendant que je parcourais la pièce des yeux à la recherche de Mary K.

Hunter s'est avancé derrière moi pour entrer dans la pièce. J'ai senti le danger émaner de lui : une colère profonde et contrôlée devant le mauvais usage évident de la magye par Selene.

— Morgan !

La voix douce et jeune de Mary K. s'est élevée d'un coin sombre de la pièce. J'ai projeté mes sens et j'ai détecté la présence de ma sœur, recroquevillée contre le mur le plus éloigné. En balayant la pièce pour trouver des signes de Selene, je me suis rapidement avancée vers Mary K. avant de m'agenouiller à ses côtés.

— Est-ce que ça va ? ai-je murmuré.

Elle s'est penchée pour appuyer son visage contre moi.

— J'ignore pourquoi je suis ici, a-t-elle dit.

Sa voix était rauque comme si elle venait de s'éveiller d'un profond sommeil.

— Je ne sais pas ce qui se passe.

J'avais honte de lui dire qu'elle avait uniquement servi d'appât dont le but était de m'attirer à cet endroit. J'avais honte d'admettre qu'elle courait un danger terrible par ma faute et par celui de mon héritage wiccan. Je lui ai plutôt dit :

— Tout ira bien. Nous allons te sortir d'ici. Ne lâche pas, OK ?

Elle a hoché la tête avant de s'effondrer sur le sol. Au simple toucher, j'ai pu sentir qu'elle avait été ensorcelée — un sortilège doux, mais suffisant pour la rendre docile et détendue. J'ai senti la rage s'embraser dans mon ventre et je me suis levée. Hunter se tenait toujours près de la porte, et j'ai remarqué qu'il avait logé un petit morceau de tronc d'arbre dans l'ouverture par mesure de prudence.

Où était Selene ? J'ai entendu son rire. Bien entendu, il s'agissait peut-être d'une illusion, d'un prestige. J'ai cédé à la panique : et si j'étais emprisonnée et coincée ici ? Selene allait-elle m'incendier ? Serais-je brûlée vive après tout ? Ma respiration s'est emballée, et j'ai posé mon regard vers les ombres les plus prononcées de la pièce.

— Selene essaiera de te faire peur, avait dit Hunter. Ne te laisse pas duper.

Plus facile à dire qu'à faire. Je me suis rapprochée d'une des bougies cylindriques pour la fixer des yeux. Lumière, ai-je pensé. Feu. Des bougies étaient plantées dans des bougeoirs montés sur les murs, et autour de la pièce se trouvaient des candélabres remplis de hautes bougies noires et fines. J'ai allumé chaque bougie, une par une, par la force de mon esprit, les ramenant à la vie, à l'existence, et les ombres se sont dissipées pour éclairer la pièce.

— Très bien, a fait la voix de Selene. Mais après tout, tu es une fée du feu. Comme Bradhadair.

Bradhadair était le nom wiccan de Maeve, le nom que lui avait donné son assemblée. Je l'avais lu dans son Livre des ombres, et nous étions probablement les seules personnes vivantes à le connaître aujourd'hui. Je me suis tournée vivement vers la voix de Selene et je l'ai vue apparaître devant une des bibliothèques, sortant de l'ombre pour avancer dans la lumière. Elle était toujours aussi belle, avec ses cheveux sombres aux mèches pâlies par le soleil et ses yeux dorés étranges, si semblables à ceux de Cal. C'était sa mère. C'est elle qui était responsable de ce qu'il était.

Comme moi, Selene portait uniquement sa robe de sorcière. Elle était faite de soie cramoisie et brodée sur toute la surface de symboles que j'ai reconnus comme étant l'alphabet ancien qu'elle avait utilisé pour ensorceler la porte. On l'avait appris à Alyce pour lui permettre de le reconnaître et de le neutraliser. Cet alphabet était maléfique par nature, et ses lettres pouvaient uniquement servir pour la magye noire. Parce qu'Alyce l'avait appris, je le connaissais moi aussi.

— Morgan, merci d'être venue, a dit Selene.

Du coin de l'œil, j'ai aperçu Hunter faire le tour de la pièce en tentant de placer Selene entre moi et lui.

— Je suis réellement désolée d'avoir eu recours à ces moyens. Je t'assure que je n'ai fait subir aucun mal à ta sœur. Mais une fois que j'ai compris que tu ne répondrais pas à une invitation ordinaire, eh bien, j'ai dû faire preuve de créativité.

Elle m'a adressé un sourire charmant et contrit qui lui donnait l'air d'être la personne la plus attirante que j'avais jamais vue.

— Je te prie de me pardonner.

Je l'ai regardée. Je l'avais déjà admirée intensément ; je lui avais envié ses connaissances, son pouvoir et ses capacités. Aujourd'hui, j'étais plus sage.

— Non, ai-je dit d'une voix claire.

Elle a plissé les yeux.

— C'est terminé, Selene, a fait Hunter d'une voix de glace. Tu t'es amusée longtemps, mais tes jours au sein d'Amyranth sont terminés.

Amyranth ? Qu'est-ce que c'est ? me suis-je demandé.

— Morgan ? a demandé Selene en ignorant Hunter.

— Non, ai-je répété. Je ne te pardonne pas.

— Tu ne comprends pas, a-t-elle dit d'une voix patiente. Tu n'en sais pas assez pour réaliser ce que tu fais. Hunter est tout simplement faible et mal renseigné. Qui s'en soucie ? Il n'a aucune valeur pour quiconque. Mais toi, ma chère. Tu as un potentiel que je ne peux ignorer.

Elle a souri de nouveau, mais son sourire m'a donné la chair de poule cette fois, un peu comme si elle était un squelette qui montrait les dents.

— Je t'offre la chance d'être plus puissante que tu ne pourrais l'imaginer, a-t-elle poursuivi, et je pouvais entendre le bruissement sifflant de sa robe à mesure qu'elle s'approchait de moi. Tu es l'une des rares sorcières que j'ai rencontrées qui méritait d'être parmi nous. Tu pourrais être un ajout à notre grandeur plutôt que de nous épuiser. Toi... ainsi que les outils de ton assemblée.

J'ai serré instinctivement les poings autour de ma baguette et de mon athamé et je me suis efforcée de relâcher la tension dans mon corps. Je devais rester calme et détendue pour laisser la magye circuler.

— Non, ai-je répété.

Mes sens ont détecté l'éclat instantané de colère qui est monté en Selene. Elle l'a rapidement bâillonné, mais le fait que je l'aie senti prouvait qu'elle n'était pas aussi en contrôle qu'elle devait l'être. J'ai pris une profonde respiration pour aller à l'encontre de mes instincts : j'ai tenté de me détendre, de m'ouvrir, de cesser de me protéger. J'ai libéré la colère, la peur, la défiance, mon désir de vengeance. Je me répétais en pensée : « La magye est l'ouverture, la confiance, l'amour. La magye est la beauté. La magye est la force et le pardon. Je suis faite de magye. » J'ai pensé à comment je m'étais sentie après le *tàth meànma brach*, comment j'avais senti que la magye était partout, en tout, dans chaque molécule. Si la magye m'entourait, je pouvais la saisir. Je pouvais y accéder. Je pouvais l'utiliser. J'avais le pouvoir du monde au bout des doigts si je choisissais de le laisser entrer.

J'ai choisi de le faire.

L'instant d'après, je m'étais repliée, haletante, sous la force d'une vague de douleur mordante et virulente. J'ai eu des haut-le-cœur, étouffée par les crampes horribles de l'agonie. Puis, je suis tombée à quatre pattes sur le sol, aspirant mon souffle tout en ayant l'impression d'être tournée sens dessus dessous.

— Morgan ! a fait Hunter.

Mais j'étais à peine consciente de sa présence. Chaque nerf de mon corps était fouetté ; chacun de mes sens était affairé par cette torture exquise qui dévorait mon âme. Mes mains, qui agrippaient toujours mes armes, se sont enfoncées dans le tapis pendant qu'une hache invisible scindait mon ventre en deux. Incrédule, je me suis regardée en m'attendant à voir mes entrailles et du sang être crachés de mon corps, mais j'étais entière, inchangée de l'extérieur. Et pourtant, j'étais haletante et je me tordais de douleur sur le sol comme si mes organes étaient dévorés par un acide.

C'était une illusion. Je le savais, intellectuellement. Mais mon corps l'ignorait. Entre mes spasmes, j'ai levé les yeux vers Selene. Elle souriait, d'un sourire petit et discret qui illustrait qu'elle aimait me voir agoniser.

— Morgan, tu es plus forte que ça ! a furieusement lâché Hunter, et ses mots ont trouvé leur voie vers ma conscience. Lève-toi ! Elle ne peut pas t'avoir !

Elle est comme la petite brute de la cour d'école, ai-je pensé pendant que ma respiration se transformait en halètements superficiels et rapides. Quand j'avais ligoté Cal et Hunter et les avait fait tomber sur le sol, j'avais ressenti un plaisir sombre et coupable à contrôler une autre personne. C'est ce que Selene ressentait à présent.

C'était une illusion. Chaque parcelle de moi pensait que j'allais mourir. Mais j'étais davantage que mes pensées, davantage que mes émotions, davantage que mon corps. J'étais Morgan de Kithic et de Belwicket et j'avais un millier d'années de force Woodbane en moi.

Je ne ressens aucune douleur, ai-je pensé. Aucune panique.

Lentement, j'ai regagné une position à quatre pattes — ma bouche était sèche, des gouttes de sueur perlaient sur mon front. Mes cheveux traînaient sur le sol, mes mains serraient mes outils. *Mes* outils. Ils n'appartenaient plus à Maeve. Plus maintenant.

Je ne ressens aucune douleur, ai-je farouchement pensé. Je vais bien. Tout dans ma vie est parfait, entier, complet. Je suis la force. Je suis le pouvoir. Je suis la magye.

Et alors, je me suis tenue debout, le dos droit, les bras le long du corps. J'ai calmement regardé Selene, et pendant une fraction de seconde, j'ai aperçu l'incrédulité dans ses yeux. Plus que de l'incrédulité. J'ai vu un léger soupçon de peur.

Dans une pirouette, elle s'est tournée vers Hunter et a brandi la main. Je n'ai vu aucun feu de sorcière, mais tout de suite, Hunter a levé les mains pour dessiner des *sigils* dans les airs. Sa poitrine s'est soulevée pour inspirer de l'air, et bien que je ne puisse rien voir, j'ai deviné que Selene essayait de lui réserver le même sort qu'à moi, mais il y résistait. Je n'avais jamais vu son pouvoir dans une telle ampleur, même pas quand il avait serré la *braigh* autour de David Redstone. C'était impressionnant.

Mais il ne nous suffisait pas de résister à Selene, il fallait la vaincre. Nous devions la rendre impuissante, d'une manière ou de l'autre. J'ai fouillé dans les bases de données d'Alyce, dissimulées dans mon cerveau, et j'ai feuilleté les encyclopédies de connaissances qu'elle avait acquises durant sa vie.

Comment combattre les ténèbres avec la lumière? me suis-je demandé. De la même manière que le soleil chasse l'ombre, a été la réponse inutile. J'ai presque hurlé de frustration. J'avais besoin d'une information pratique, concrète. Pas de charabia.

Les confins de ma conscience ont décelé une légère respiration — Mary K. Elle était assise avec l'immobilisme d'une poupée, les yeux ouverts sans voir, dans les ombres d'un coin. Sans y réfléchir, j'ai rapidement fait appel à des sortilèges de distraction, de détournement. Si Selene devait regarder Mary K., je voulais détourner son attention légèrement afin qu'elle ne voie rien, qu'elle oublie la présence de ma sœur.

Hunter et Selene étaient face à face et, soudain, Hunter m'a surprise en saisissant un globe de cristal d'une tablette et en le jetant vers Selene. Elle a écarquillé les yeux avant de se tourner de côté, mais le globe a percuté son épaule avec un bruit sourd. Tout de suite après, elle a brandi la main, et un athamé a traversé la pièce en direction de Hunter. Ceci me rappelait beaucoup trop cette nuit horrible, vécue des semaines plus tôt, et j'ai tressailli, mais Hunter a facilement fait dévier le tir, et l'athamé a effleuré une lampe avant de tomber sur le sol.

Que pouvais-je faire? Je n'avais aucune expérience dans le vol plané d'objets — je ne m'étais jamais exercée à contrôler des choses physiques de cette façon. Dans cette bataille, il me faudrait utiliser la magye seule. Je devrais faire appel à ma vérité.

J'ai vu Hunter saisir sa *braigh* — la chaîne en argent ensorcelée qui empêchait son prisonnier d'effectuer de la magye. Avec quelques sortilèges, cette corde suffisait à arrêter la majorité des sorcières.

Mais Selene a jeté à Hunter un regard méprisant, faisant fi de sa menace pour se tourner vers moi. En traversant rapidement la pièce, elle a dit :

— Morgan, cesse ces idioties. Rappelle ton chien de garde. Tu as tout ce qu'il faut pour devenir l'une des sorcières les plus puissantes de tous les temps. Tu es une véritable Woodbane : pure et ancienne. Ne renie plus ton héritage. Joins-toi à nous, ma chère.

— Non, Selene, ai-je dit.

En moi, j'ai consciemment ouvert la porte sur la magye et en prenant une inspiration profonde, je l'ai lissée circuler librement. Les premiers accords de mon chant de pouvoir se sont fait entendre dans mon esprit.

Son beau visage s'est endurci, et encore une fois, j'ai réalisé contre quoi je me battais. Hunter m'avait dit que le Conseil cherchait Selene depuis des années ; qu'elle avait été impliquée dans d'innombrables morts. Même si je m'accrochais au calme, j'ai néanmoins souhaité que tous les membres du Conseil surgissent par la porte ouverte, capes au vent, baguettes brandies, déclamant des sortilèges. Venir ici seuls était une tentative désespérée. C'était de la folie. Encore pire, c'était stupide.

Hunter a commencé à avancer vers Selene. Ses lèvres remuaient, son regard était résolu, et je savais qu'il commençait les sortilèges de ligotage qu'il utilisait à titre d'investigateur. De l'air de quelqu'un qui s'ennuie, Selene a à peine remué la main vers lui, et il s'est arrêté net, en clignant des yeux. Puis, il a poursuivi son avancée, mais encore une fois, elle l'a stoppé.

J'ai fermé les yeux, et mon esprit s'est avancé pour tenter de voir ce que je sentais, là. J'ai vu Selene ériger des blocages et Hunter les retirer, mais il n'était pas aussi rapide qu'elle. J'ai également vu les premiers rubans minces de mon sortilège de pouvoir venir à moi, flotter vers moi sur le vent de mon héritage. Je me suis approchée d'eux, mais Selene m'a stoppée.

— Morgan, ne veux-tu pas savoir la vérité sur la mort de ta mère ?

# 17

# Changement

Yule, 1982

La maison est ornée de rameaux de bois et de houx, de gaulthérie et de gui. Des bougies rouges brûlent et attirent les yeux de Cal — ses yeux maintenant dorés, comme les miens. Il s'agit de sa première fête de Yule, et il adore ça.

J'ai découvert que la putain anglaise de Daniel a eu un bébé, un garçon, il y a un mois. Le bébé de Daniel. Elle l'a appelé Giomanach. Daniel doit la protéger, car je suis incapable de la repérer, cette Fiona, pour m'en débarrasser. À présent, je vais demander l'aide d'Amyranth. C'est difficile d'expliquer les émotions que je ressens. C'est si douloureux d'admettre mon humiliation, mon désespoir, ma fureur. Si j'étais réellement forte, je foudroierais Daniel pour qu'il meure. Dans mes fantaisies, je l'ai fait un millier de fois — j'ai enfoncé sa tête sur un pieu devant ma maison, j'ai arraché son coeur et je l'ai envoyé par la poste à la chère Fiona. J'effectuerais un présage pour l'apercevoir ouvrir la boîte et voir le coeur. Et je rirais.

Mais comme il s'agit de Daniel... Je ne comprends pas pourquoi je ressens de tels sentiments à son sujet. Déesse, aide-moi. Je ne peux m'empêcher de l'aimer. S'il était possible de m'arracher cet amour, je prendrais un athamé et m'en chargerais moi-même. Si mon besoin de lui pouvait être brûlé, je me transpercerais à l'aide d'un feu de sorcière, de la flamme d'une bougie ou d'un athamé chauffé à blanc.

Que je l'aime encore, malgré sa trahison, malgré l'enfant qu'il a eu avec une autre femme, est comme une maladie. Je lui ai demandé comment c'était arrivé. Étaient-ils tous deux des sorcières si médiocres qu'ils étaient incapables de conjurer un sortilège de contraception ? Il a perdu son sang froid et m'a répondu que l'enfant était un accident, conçu dans un moment d'émotion franche. Il est sorti en coup de vent, dans le brouillard de San Francisco. Il reviendra. Contre sa volonté, mais il reviendra toujours.

La joie dans ma vie actuellement se résume en un être, une perfection qui m'enchante. À six mois, Cal surpasse mes espoirs et mes attentes. Je vois de la sagesse dans ses yeux de bébé, une faim d'apprendre que je reconnais. C'est un bel enfant et un enfant facile : il est calme, mais déterminé, entêté, mais d'une douceur déchirante. Quand je vois son visage s'éclairer à mon approche, tout le reste en vaut la peine. Cette fête de Yule est sous le signe des ténèbres et de la lumière, pour moi tant que pour la Déesse.

— SB

J'ai cligné des yeux avant de tourner brusquement la tête vers Selene. Elle utilisera n'importe quoi contre toi, ai-je pensé. Même ta mère décédée. Voilà pourquoi tu dois te connaître. Et c'est ce que tu as fait.

Soudain, Selene a semblé pathétique, comme une fourmi, comme un insecte, et je me suis sentie toute puissante. Dans mon esprit, les anciens rubans de pouvoir, l'air cristallin qui contenait le nom véritable de la magye, se sont intensifiés.

— Je sais exactement comment ma mère est morte, ai-je répondu d'un ton neutre pour la voir sourciller de surprise. Angus et elle ont été brûlés vifs par Ciaran, son *mùirn beatha dàn*.

J'ai senti, plus que je n'ai vu, Selene envoyer des vrilles rapides de magye noire, et avant qu'elles ne m'atteignent, j'ai érigé un blocage autour de moi afin de demeurer à l'intérieur, intacte, libre de sa colère. J'ai eu envie de rire en constatant à quel point c'était facile.

Mais Selene était plus vieille, plus éduquée et, au bout du compte, elle savait mieux se battre que moi.

— Tu vois uniquement ce que Hunter souhaite te faire voir, a-t-elle dit avec une intensité effarante.

Elle s'est encore rapprochée de moi, et ses yeux brillaient comme ceux d'un tigre; ils étaient allumés de l'intérieur.

— Il te contrôle depuis les dernières semaines. Ne peux-tu pas le voir? Regarde-le.

Pour une raison stupide, j'ai jeté un regard du côté de Hunter.

— Ne l'écoute pas! a-t-il soufflé en avançant vers moi de façon saccadée.

Devant mes yeux, Hunter s'était transformé : les os de son visage ont grossi, sa mâchoire a épaissi, sa bouche paraissait plus cruelle. Ses yeux sont devenus des trous noirs. Sa peau était striée de lignes blanches étranges. Ses lèvres se sont tordues pour former un sourire mauvais et affamé, et ses dents ont paru plus affilées, pointues — plus semblables à celles d'un animal. On aurait dit qu'il était devenu une caricature maléfique de lui-même.

Selene a profité de ce bref instant d'incertitude, de désarroi pour frapper.

— *An nahl nath rac !* a-t-elle hurlé avant de lancer un éclair bleu et crépitant vers Hunter.

L'éclair a frappé sa gorge, et il a eu des haut-le-cœur avant de tomber à genoux, les yeux ronds.

— Hunter ! ai-je crié.

Il avait toujours l'air différent, maléfique, et je savais que Selene en était responsable, mais je ne pouvais m'empêcher d'être dégoûtée. J'ai ressenti une culpabilité et une honte profondes et intenses. Je devais me faire confiance, faire confiance à mes propres instincts, mais l'ennui était que mes instincts m'avaient déjà trompée.

À présent, Selene marmonnait des sortilèges sombres en avançant vers moi, et bien involontairement, j'ai reculé. Des vagues de panique se sont fracassées contre moi, tout à coup : j'avais tout bousillé. J'avais connu un bon début, mais j'avais perdu la bataille. Hunter était abattu, Mary K. était vulnérable et j'allais mourir.

J'ai senti les premiers picotements des sortilèges de Selene me parcourir comme des insectes piqueurs. J'ai senti de petites morsures sur ma peau, provoquant des convulsions, et un brouillard gris a gagné ma vision périphérique. J'ai réalisé qu'elle allait m'envelopper dans un nuage de douleur pour m'étouffer. Et je ne pouvais pas l'arrêter.

— Pas ma fille.

J'ai entendu clairement la voix à l'accent irlandais dans ma tête et sa douce inflexion qui ne cachait pas l'acier derrière les mots. J'ai reconnu instantanément la voix de Maeve, ma mère biologique.

— Pas *ma* fille, a-t-elle répété à nouveau, dans mon esprit.

J'ai avalé mon souffle. Je ne pouvais laisser Selene gagner. Hunter était recroquevillé sur le sol, immobile. Je ne pouvais même pas voir Mary K. : le brouillard gris s'était refermé de sorte que je ne pouvais apercevoir que Selene, brillant devant moi comme si elle contenait un feu. Dans mon esprit, j'ai étiré les bras pour saisir le pouvoir, pour l'attirer vers moi. J'ai tenté de tout oublier pour me concentrer uniquement sur mes propres sortilèges de protection et de ligotage. Je suis faite de magye, me suis-je dit. Toute la magye est à la portée de ma main. Encore et encore, je me suis répété ces mots jusqu'à ce qu'ils semblent s'intégrer à ma chanson, à mon chant pour invoquer le pouvoir. Des mots anciens, que je reconnaissais sans les connaître, sont venus à mes lèvres, et j'ai ouvert les bras et tourné en rond en sentant à peine mes cheveux cascader derrière moi.

— *Menach bis*, ai-je marmonné en sentant les mots venir à moi dans une voix que je ne reconnaissais pas — celle d'un homme : Angus ? *Allaigh nith rah. Feard, burn, torse, menach bis.*

J'ai tournoyé plus rapidement dans mon cercle individuel en concevant ce sortilège ; ce sortilège parfait qui me protégerait, qui arrêterait Selene, qui aiderait Hunter et qui assurerait la sécurité de Mary K. J'avais l'impression de voir une forme géométrique parfaite se dessiner dans l'espace : les contours du sortilège, ses formes, ses arêtes, ses frontières et ses limites. Il s'agissait d'une forme faite de lumière, d'énergie, de musique, et je l'ai vue se manifester autour de moi dans la pièce, confectionnée par les mots qui coulaient de ma bouche.

Pendant qu'elle se façonnait, j'ai aperçu une autre forme se préciser en arrière-plan, derrière Selene. Cal. Il a franchi la porte pour entrer dans la bibliothèque, et Selene a tourné la tête vers lui.

— Mère.

Sa voix était claire, forte, mais je ne pouvais y lire ses intentions. Était-il venu m'aider ? Ou aider Selene à me tuer ?

Pas le temps de m'arrêter pour poser des questions. Je me suis aperçue comme si j'étais hors de mon corps, revêtue de la robe de soie verte de Maeve, son ourlet ondulant comme de l'eau de mer autour de mes chevilles nues à chacun de mes tours. La magye crépitait autour de moi, rayonnante comme des lucioles flottant dans l'air : un pissenlit de magye qui avait éclot pour semer ses graines au vent. Des graines de pouvoir ont commencé à se réunir autour de Selene. J'ai senti une fierté farouche en moi : j'étais euphorique devant ma force et extatique devant le sortilège que je créais. À l'aide des mots anciens, j'ai rassemblé les graines autour de Selene et j'ai commencé à l'enfermer avec celles-ci, comme si je la scellais de l'intérieur.

J'ai vaguement réalisé ce que je faisais. J'ai reconnu de façon diffuse la cage de glace et de lumière que je plaçais autour de Selene. C'était la même cage qui avait emprisonné Maeve et Angus. Mais je n'avais ni le temps ni l'énergie nécessaire pour me demander ce que ça signifiait, d'où provenait cette connaissance. La magye s'était emparée de moi : elle me consumait.

C'était la chose la plus magnifique et la plus terrifiante que j'avais jamais vue. C'était comme la beauté d'une étoile qui meure et devient une nova : une beauté exaltante et foudroyante. La stupéfaction en moi s'est gonflée pour couler de mes yeux sous forme de larmes : des cristaux de sel purifiants.

— Non ! a soudain vociféré Selene dans un hurlement horrible et effroyable de furie et de ténèbres. Non !

La cage de cristal autour d'elle s'est fra-cassée, et elle s'est dressée, menaçante, sombre, malveillante et empreinte d'obscurité.

Je n'avais pas l'expérience nécessaire pour éviter, m'écarter ou pour lancer un blocage. J'ai vu le nuage bouillonnant de vapeur sombre tournoyer au-dessus de Selene pour s'avancer vers moi et j'ai su que, dans un instant, je saurais comment on se sent quand son âme est aspirée de son corps. Je ne pouvais rien faire d'autre que regarder.

C'est alors qu'une forme sombre a bloqué ma vue, et tel un appareil-photo prenant des clichés à toute vitesse, mon esprit a capturé une image après l'autre sans me laisser le temps de digérer ce qui arrivait. Cal s'est lancé en avant, les yeux noirs et en feu, pour bloquer l'attaque de Selene. J'ai reculé, les yeux écarquillés, la bouche béante, pendant que Cal absorbait la vapeur sombre qui l'entourait, se fondait sur lui. Ensuite, il s'est effondré sur le sol, les yeux déjà aveugles à mesure que son âme quittait son corps.

À présent, je connaissais la vérité. Il était venu m'aider.

Selene est tombée sur lui un instant plus tard, sur sa poitrine, le martelant de coups, tentant de ramener la vie en lui pendant que j'observais stupidement la scène, sans rien y comprendre.

— Sgàth, a-t-elle crié d'une voix qui ne semblait pratiquement plus humaine. Sgàth! Reviens!

Je n'avais jamais entendu la voix d'une *banshee*, mais j'imaginais qu'elle ressemblait à ça : une mélopée, une plainte inhumaine qui semblait contenir l'agonie du monde. Son fils était mort, et elle l'avait tué.

Lorsque Hunter a titubé vers moi pour saisir ma main, il était la seule personne que je pouvais regarder. Il avait repris son aspect — il était pâle et maladif, mais il était redevenu le Hunter que je connaissais.

— Maintenant, a-t-il croassé d'une voix qui semblait avoir été carbonisée. Maintenant.

Tout m'est revenu, mon cerveau a repris du service, et Hunter et moi avons profité du chagrin de Selene pour joindre nos pouvoirs et la ligoter.

J'avais froid, mais j'ai réuni ma magye pour serrer encore une fois une belle cage autour de Selene. Hunter s'est avancé pour fixer la *braigh* d'argent autour des poignets de Selene, la surprenant alors qu'elle tenait le visage de Cal et sanglotait sur sa mort. Elle a crié de nouveau : la chaîne brûlait déjà sa chair. Je me suis repliée devant cette scène d'horreur : le cadavre de Cal, le chagrin de Selene, son cri infini alors qu'elle se débattait pour se libérer de la *braigh*.

Puis, elle s'est arrêtée un instant ; ses yeux se sont renversés, et elle a commencé à entonner un chant profond et guttural. J'ai vu la chaîne d'argent s'effriter pour disparaître.

— Morgan ! a hurlé Hunter.

Et rapidement, j'ai laissé tomber ma magnifique cage de lumière et de magye sur elle.

J'ai eu l'impression d'observer un papillon de nuit étouffer lentement dans une cage de verre. En une minute, la rage de Selene a cessé de brûler, ses cris se sont apaisés, elle a cessé de se débattre : elle s'est repliée dans mon sortilège comme si elle tentait de se soustraire à la douleur.

Quand mes yeux ont croisé ceux de Hunter, il paraissait horrifié, secoué, mais son visage affichait aussi la reconnaissance du but accompli. Sa respiration était difficile, de la sueur perlait sur son visage, et ses yeux ont rencontré les miens.

— Sortons d'ici, a-t-il dit d'une voix tremblante. Cet endroit est maléfique.

Mais j'étais figée, les yeux rivés sur Cal. Le beau Cal que j'avais embrassé et tellement aimé. Je me suis agenouillée pour toucher son visage. Hunter n'a pas tenté de m'arrêter.

J'ai frissonné avant de me dérober — la peau de Cal se refroidissait déjà. Soudain, des sanglots douloureux ont explosé de ma poitrine. J'ai pleuré pour Cal, pour la brève illusion d'amour que j'avais chérie si profondément, pour sa vie qu'il avait donnée pour sauver la mienne, pour ce qu'il aurait pu être sans la perversion de Selene.

Ce qui est arrivé par la suite est difficile à expliquer. Hunter a soudain poussé un cri, et je me suis tournée, des larmes roulant sur mes joues, pour apercevoir Selene debout, qui tenait ses poignets devant elle. Je pouvais voir les cloques, mais la *braigh* en argent avait disparu. Ses yeux dorés ont semblé brûler des trous en nous. Puis, elle s'est effondrée sur le tapis oriental, les yeux fermés. Sa bouche s'est ouverte pour laisser sortir un flot vaporeux semblable à de la fumée.

Hunter a crié de nouveau avant d'avancer le bras pour me pousser. Nous avons regardé la vapeur monter pour disparaître par une des fenêtres de la bibliothèque. Puis, elle a disparu, et Selene est restée immobile et livide. Hunter s'est avancé rapidement vers elle pour poser les doigts contre sa gorge. Quand il a levé les yeux, ceux-ci reflétaient son choc.

— Elle est morte.

— Déesse, ai-je soufflé.

J'avais contribué à la mort de Selene — et de Cal. J'étais une meurtrière. Comment Hunter et moi pouvions nous tenir dans une pièce en compagnie de deux cadavres? C'était incompréhensible.

— Qu'est-ce que c'était, cette fumée?

Ma voix était un filet tremblant.

— Je ne sais pas. Je n'ai jamais rien vu de tel.

Il paraissait inquiet.

— Morgan ? a fait la voix de Mary K.

J'ai chassé ma paralysie pour me ruer à ses côtés. Elle s'est assise en battant des cils avant de se lever et de brosser la poussière de ses vêtements. Elle a jeté un regard à la ronde comme si elle s'éveillait d'un rêve. Peut-être était-ce le cas ?

— Qu'est-ce qui se passe ? Où sommes-nous ?

— Tout va bien, Mary K., a dit Hunter d'une voix toujours rauque.

Il s'est approché pour prendre son bras afin que nous la supportions de chaque côté.

— Tout va bien maintenant. Sortons d'ici.

En gardant son corps contre elle, Hunter est parvenu à diriger Mary K. hors de la pièce sans qu'elle aperçoive les corps de Selene et de Cal. Je les ai suivis en m'obligeant à ne pas regarder derrière moi.

Quand nous sommes arrivés dans le couloir, Hunter a jeté un sort à la porte de la bibliothèque afin qu'elle ne se referme pas. Puis, nous sommes sortis, dans l'obscurité, et le froid mordant de l'hiver s'est fermé sur nous.

Alors que nous descendions les marches en pierres, la voiture de Sky est arrivée, suivie d'une berline grise. Un homme corpulent aux cheveux grisonnants en est sorti, et Hunter s'est avancé pour lui parler : il devait être le membre du Conseil le plus près de Widow's Vale.

Revêtue de ma robe, je me suis assise sur une marche large. Je ne pouvais penser à ce qui venait d'arriver. Je ne pouvais digérer l'information. Tout ce que je pouvais faire était de tenir la main de Mary K. et d'ébaucher ce que j'allais dire à mes parents. Chaque version commençait par : « C'est parce que je suis une sorcière. »

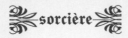 sorcière

Livre 1

LE LIVRE DES OMBRES

Livre 2

LE CERCLE

Livre 3

SORCIÈRE DE SANG

Livre 4

MAGYE NOIRE

Livre 5

L'ÉVEIL

**POUR OBTENIR UNE COPIE DE NOTRE CATALOGUE :**

# Éditions AdA Inc.
1385, boul. Lionel-Boulet,
Varennes, Québec, J3X 1P7
Téléphone : (450) 929-0296
Télécopieur : (450) 929-0220
info@ada-inc.com
www.ada-inc.com

Pour l'Europe :
France : D.G. Diffusion Tél.: 05.61.00.09.99
Belgique : D.G. Diffusion Tél.: 05.61.00.09.99
Suisse : Transat Tél.: 23.42.77.40

**VENEZ NOUS VISITER**

**facebook.**
WWW.FACEBOOK.COM (GROUPE ÉDITIONS ADA)

**twitter**
WWW.TWITTER.COM/EDITIONSADA